"好久没有奋不顾身了，这次呢？"

永无止尽的约会

丁丁张
作品

THE
ENDLESS DATE

北京联合出版公司
Beijing United Publishing Co.,Ltd.

图书在版编目（CIP）数据

永无止尽的约会 / 丁丁张著. — 北京：北京联合
出版公司，2016.8
ISBN 978-7-5502-8268-1

Ⅰ. ①永… Ⅱ. ①丁… Ⅲ. ①长篇小说 - 中国 - 当代
Ⅳ. ①I247.5

中国版本图书馆CIP数据核字〔2016〕第156538号

永无止尽的约会

作　　者：丁丁张

责任编辑：张萌

北京联合出版公司出版
（北京市西城区德外大街83号楼9层　100088）
北京鹏润伟业印刷有限公司印刷　新华书店经销
字数：171千字　　　880毫米×1230毫米　1/32　　印张：8.75
2016年8月第1版　　2016年8月第1次印刷
ISBN 978-7-5502-8268-1
定价：36.80元

THE
ENDLESS
DATE

"每个相遇都很珍贵，每个遭遇又让你我变成现在的你我。"

▶

我是一个必须保持镇定的年轻人，我有一个秘密。

人生对于人最大的教化，莫过于让他们接受人生设定。

成熟大概是一种通行货币，用来交换年纪，但它让人变得理智、冷静、懂得拒绝，也可承受拒绝，见怪不怪，我们越长大，离本性越远。

▶

所谓意义，大概此刻与彼刻不同。

我记下的那些文字、诗句，记下被赞美的山川河流，那些庞杂的日常，被呼唤名字的瞬间，被尴尬包裹的某一刻，或者被针刺痛身体的每个零点一秒，大概都可称为意义，并将我变成我。

恢复如常让我觉得人生安全。其实人一生大部分动作，都在尽可能恢复如常，重复地洗澡，重复地清扫，重复地谈恋爱，重复地记住，再重复地一一忘掉。

我喜欢这种恢复如常的感觉，像一切都未曾发生过。

▶ 这世界有无数的符号、图像、气味、人的面孔、人和人之间发生的事件，为了方便储存，它们都被统称为记忆。

► 这是我，这么多年来第一次觉得孤单，无法自得其乐，像急切等待水烧开的干渴的人。

二十岁和三十岁的人不一样，二十岁，你可以为感情大刀阔斧，迎难而上，三十岁不一样了，会计算，衡量，尽力保持收支平衡。

► 你遮蔽了一半的你，他又收起了一半的他，这是恋爱刚开始时的状况，剩下的都靠想象补足，如同冰山下沉入水底的部分，所以，当爱变得糟糕的时候，并不是爱变坏了，是真相本就如此。

我想，大概每个人内心都是小孩子吧，即便他超过一米八五，可脸上仍有"我讨厌上学"的表情，像我在地铁里遇到的很多个，像那个在雪夜里唱歌的中年人，都似无辜地被时间推着，变成一个必须拥有职业、成熟谈吐的成年人。

大概这世界是满地少年，又均不自知。

THE
ENDLESS
DATE

"如果你只有一个月的记忆，你会干什么？"

梁晓雪|音乐
《永无止尽的约会》

目录 *contents*

自 序

开始写故事的时候，才发现自己一无所有，几乎和开始爱一个人的时候感觉相当，而继续往下写，就像永远要面对一个无法征服的对手以及非常多让你束手无策的决定。

所以我相信所有的神来之笔，都基于经验和长久的伏案工作。

开一个长篇，写一本小说，换一种方式和你交流，用另一种形式来重新解读爱、时间和记忆，我想，这只是我必须要做的事情之一。这和当时带着愤懑，开始写下《人生需要揭穿》第一个字的时候完全不同，那时我身无长物，只有一肚子话要说，没有必需的目的，也不带怀疑，只一味地写下去，那真是无知无畏的好时候。

而现在，我对文字带有敬畏，更无法将长篇当作普通朋友。它像大江大河，看来无限风光，实则暗藏凶险。

我想着这个故事，在 2014 年年末，还有整个的 2015 年，很多时间都在和书中的人物煎熬，直到和他们慢慢熟悉，偶尔交谈，但我没有动笔，觉得是种冒犯。直到 2016 年开始，觉得必须开始，让他们变成一个个活着的个体，即便当时对他们的前途莫辨，更不知归宿。

故事从一个秘密开始，到一个巨大的救赎结束。我想每个人都有秘密，但不是每个人都能很好地面对它，它可能是经历、病痛、隐患、奇怪的想法或者已经做过的任何事情。可这也不用难堪，我们都差不多，秘密和故事，爱和恨，相聚和分开，遇到的那个必须区别对待的人，不可告人的和堂而皇之讲出来的那些一样，都是人生里必不可少的东西。

我无意塑造可爱的人，甚至希望他们有缺陷，有时很讨厌，对欲望和自己都束手无策，面对庞杂的世界像个普通人的样子，又要处理普通人无法处理的难题。我希望激发他们的热情和动力，让他们在面对这些困难时虎虎生风，但有时，只能靠他们自己，即便从创作者的角度，我也无法帮他们太多。

说性格决定命运，大概就是这个意思。

这里或许有一个你不曾背弃的你，也有一个我不能成为的我，这绝对是当作者的幸运。而用小说这样的体裁和读者沟通关于爱、记忆、时间这样的宏大命题，我有时恐惧，有时无力，有时又觉得不过如此，好在，这和各种遭遇一样，只是被不停恩赐而已。

很多话我都已经说过，但很多事情未曾经历，仍对未来充满好奇，对于保有自我又暗下决心，并可以与一切过去分道扬镳。这是生命之于我们边走边忘的权利，也是作为一个普通人，值得欣慰的小小确定。

希望川成不再苦恼，希望汐禾像自己想象中的样子，希望陈悟继续傻而不僵，持续保持爱下去的能量。希望过山车常在，如你也乘坐过，请感谢这些弯道、下坠、攀升带来的一切感受。

爱人是件重要的事，失去也是爱的一部分，不愉快和愉快，得到和突然失去，脚在地面或者在过山车上低速或高速地向前，最终只为证明人生没有虚度，这是生命给我们的琐碎和必然，眼睛一闭，大可一试。

爱他们，也爱你们。

谢谢陪伴。

永无止尽
的
约会
/

1.

我是一个必须保持镇定的年轻人，我有一个秘密。

所以我的故事必定伴随着它，很多事情无法由自己决定，这大概就是我们普通人的人生。

有时候我在思考，到底是每个人靠自己定义了人生，还是所谓的人生逐渐将人雕刻成现在的模样。但这些思考其实无关紧要，只是我自己瞎想罢了，尤其是，像我这样一个几乎一无所有的人。

我叫林川成，是八角游乐场的员工。我们的部门叫旋转动力部，旋转动力部管辖六个大型设备，包括海盗船、大力神斧、摩天轮、旋转猪猪、碰碰车和过山车。我的工作是负责给过山车拉电闸，除了检修的时候，我大部分时候每天只需要按两个键——开机键，以及每次的开始键。

两个键一个黄色、一个绿色，所以不会出错。

我几乎可以通过耳朵判断，等待设备启动，旋转，伴随着尖叫和轨道滑行的巨大声响，最后恢复如常。

恢复如常让我觉得安全。其实人一生大部分动作，都在尽可能恢复如常，重复地洗澡、重复地清扫、重复地谈恋爱，重复地记住，再重复地——忘掉。

我喜欢这种恢复如常的感觉，像一切都未曾发生过。

波兰女诗人辛波斯卡在她《对统计学的贡献》的诗中写道：一百人当中，凡事皆聪明过人者，五十二人；步步踌躇者，几乎其余所有的人；如果不费时过久，乐于伸出援手者，高达四十九人；始终很佳别无例外者，四，或许五人；对短暂青春，存在幻觉者，六十人，容有些许误差。

最后她说，终需一死者，百分之一百的人，此一数目迄今未曾改变。

在我看来，这首诗并不算绝望冰冷，我在大学的时候背下它，觉得证据确凿，非常过瘾，再没有比确定自己是个普通人更过瘾的事了。

基本上，我们听的歌相同，吃的食物相同，胃疼的位置相同，看一致的星座预测，得出近乎相同的结论，但我们彼此没有发现，任由彼此擦身而过，因为我们不熟嘛。

熟或者不熟，将我们隔绝成路人或者爱人。

其实，我希望自己是这普通人当中的一个。

我戴眼镜，皮肤白皙，单眼皮，鼻梁挺直，头发掩住眉毛，穿军绿色长款大衣，长及膝盖，有时候我把嘴巴藏在围巾里，镜片上就有雾气，这让我看起来难以分辨年纪，但大致还是个年轻人。每二十天，我就要去理一次头发，到固定的理发店，找一个叫威廉的理发师，几乎不用交流，他就可以把我的头发恢复如常。

我坐地铁上班，工作地点几乎在这个城市的尽头，地铁上的人会逐渐减少，周末时他们形态慵懒，工作日则像在各站逃散。这都不影响我观察他们，每个样本，都极其平凡，又藏有秘密，和我一样。

比如，眼前这对恋人，男人不爱女人，但女人并不知道，或者她假装不知道。男人几乎不和她对视，她看着他眼睛的时候，他的眼睛瞄向其他地方，甚至看向正在观察他的我。她执意要把手放进男人的大衣兜里，几乎遭到拒绝，但因为她确定要这么做，男人就没有再反抗，眼神里闪过一丝烦躁，是那种被自己不喜欢的事物纠缠的烦躁，像风吹乱了他刚刚弄好的头发。

一段时间过后，这女人就独自乘坐地铁，手指冻得发红，从迟远站上车，在大嵩站下车，眼圈发黑，眼神空洞。她早上没有洗过头发，所以后脑勺有睡觉的痕迹，显然睡眠不好，但她也不在意。

其实，每个人都不那么在意其他人。她失恋了吧，我得出结论，又暗自为她庆幸，反正男的也不爱她。

我简直要冲上去告诉她，但我最终没有这么做，将这件事记在笔记本上，并不是因为重要，而是有时候一天没什么可记的。我的双肩背包里，永远放着一支笔、一个本子。

"爱你的人，会珍惜每次和你眼睛对视的机会，你也一样，而这种平衡一旦打破，爱情就没有了。"

我这样写，虽然我还没有谈过恋爱，也不期待。那是件多奇怪的事啊——本来不熟，突然就要如胶似漆。

要为彼此付出全部的感觉应该是极不安全的，肯定不大适合恢复原状。

我想。

地铁上的另外一对，他们应该在热恋，大部分时候一起上班。有单个座位的时候，男孩就让给女孩，或者干脆两个人都不坐，分享一个耳机，听着不知道是什么的歌曲。男孩用手摸女孩的头发，女孩把头钻到他的怀里，偶尔抬眼看他，毫无来由地笑起来。

我的观察和思考常在路上，或者我坐在工作岗位上一动不动的时候，用陈悟的话说，我的工作，霍金大概也可以做，只需要一个大拇指而已嘛，并不费力气，更不用跟人交流。

他是除了家人之外，唯一敢拿我的秘密跟我开玩笑的人，我也只有这一个朋友。

每天我的工作就是坐在过山车驾驶舱，按开始键，过山车开始行进，两分十五秒之后，它会自动停下来，下一拨客人上。每个乘客都无法估算真正过山车的时间，恐惧感帮助他们放大了这些瞬间。维持秩序的是另一个同事、旋转部三级员工靳山，穿黑色工装，长达鞋面的位置，被包裹成一件整体羽绒人的形状，看起来毫无生气。

他总是迟到，因此一直未曾晋级，但我一直拿全勤奖，不知道为什么也是三级员工。靳山说，谁让你小子不爱理人。

我可不是不爱理人，只是觉得……无话可说。

靳山爱说话，但他也不理部长和那些乘客，他眼睛不看他们，嘴巴里重复说着"请大家在线外等候"，因为说的次数太多，舌头都学会了偷懒，大概是"大啊线外的候"这样模糊的发音。当然，乘客也不理他，目光随着过山车转动，有的捂住自己的心脏。

游客大多是一些穷极无聊的年轻人，以此来释放多余的精力，或者挑战此时还强壮的心脏，速度、失重、离心力，都是他们这个不知忧虑的年纪的必需品。过山车帮助他们紧张、出汗、激动，并让他们迅速产生恐惧感、肾上腺素，继而发出嘶吼或者尖叫，用来缓解压力。

也不知道他们都有什么压力。

游乐场里有各种各样的人，要在这里收集样本的话，可以找到非常多的类型。恋人们为数众多，节假日的时候，也有成群结队的中学生，一个人来的比较少，所以观察他们更容易一些。曾有人想在过山车上自杀，好在保险装置做过检修，他没有在高空中扳开它，或者他最后放弃了。他在空中张开手臂，甚至试图挣脱安全带的束缚，但都没有成功，脸色煞白地下来的时候，他看了我一眼，然后走了。

我没有跟他说话，但在彼此对望的瞬间，我眼睛里大概说了，"其实你大可不必如此"。他对我点头，三十五到四十岁之间，头发蓬乱。

"一个人放弃世界之前，会先放弃自己，而放弃自己，会先放弃洗头发。"我在本子上这样记录。

然后想起了那个失恋的、放弃洗头发的女人。

我基本都在驾驶舱，那里冬天很冷，夏天憋闷燥热，所以无论什么季节，我都开着那扇铁皮门。这世界上有很多东西，都是摆设，门也是，它被用作心理安慰，以及隔开众人和外界，让我觉得，我有一片属于我的地方。

我坐在驾驶舱里不动，大概是全世界最安静最不需要动脑筋的司机。好笑的是，我驾驶的车却在五十米外的高空上随着尖叫声盘旋，于钢铁的骨架之上发出钝响。

我有个外号，仅限于一个叫陈悟的朋友叫我，因为我只有这一个朋友。

他叫我，镇定剂。

2.

"你每天吃同样的便当，不觉得烦吗？"靳山冲进驾驶舱时，我正背对着驾驶盘吃饭，此时没有客人，靳山拿走了我便当里的一根香肠。

"很好啊。"我回答道，像平时一样寡淡无味，内心想，你每天问同样的问题，不觉得烦吗？

我对他并无恶意，当然，于靳山来说，确定我是个无趣的人，没有夜生活，没有好朋友，没有目的地，像只为活着存在，每天生活规律，即便换了衣服，也很难看出变化。

"你笑一个。"靳山鼓励我，这种鼓励，几乎每天一次，没有例外。

他惯于挑战沉默的我，像逗弄一条懒得理人的狗，其实只是为了让两人值班的工作变得稍微有趣一点。但他很少成功，大部分时候都是他喋喋不休，我做个听众罢了。

"因为你每天这样，我觉得我都要变成沉默的机器人了。"靳山看着我，表情丰富，"昨晚我做梦，梦到自己摔到了膝盖，里边全是螺丝和零件。"

和我搭档的代价，大概是要防止语言系统退化，他必须不停地寻找话题，说些"大家线外等候"之外的语言。他毕竟是个普通又正常的年轻人，对奇怪事物和人的好奇，就像他脖子上的吻痕一样昭然若揭。

我大概算给了他一个笑容，这很困难。笑要牵动人面部30块肌肉，即便对于全身639块肌肉来说，这也是大费周章。何况假笑会瞬间消失，真笑却很难迅速结束，恢复原状需要一定时间，这样的生活证据，应该在我的证据收集范畴。我动了念头，去双肩背包里找本子，准备把它记下来。

"喂，我今天要先走，你盯一会儿。"靳山放下手中的杯子，大声对我说，算是彻底放弃了和我说话。

固然天气太冷，客人又少，但这是不允许的，禁止一个人在任何时间兼管大型设备，旋转动力部规定，我脑中有这样固执的回答。

"别管什么规定了，川成，部长早就走了。"他脱掉工装，换上自己的大衣，似乎想到我会说什么。

时间到了晚上八点二十五分，对于九点关闭的时间，已经算很晚了。天气变得更冷了一些，整个乐园到了冬天就显得蔫头耷脑，毕竟圣诞还没有到，一派死气沉沉，大家还没有任何欢庆的理由。而且这城市到了冬天，绿色像被迅速擦掉，一切就像迅速变旧。

靳山拍拍我的肩膀，转身走了。

"要下雪啦，哇哦。"他嘟囔了一句，裹紧大衣，把头尽可能地缩进去，转身跑远。

我没有叫住他，这之后应该很难再有客人，这样的话，机器未曾运转，并不违反规定。

收起便当盒，盖上密封盖，再把它放在便当包里，需要三个动作。走出驾驶舱，呼吸着冬日的寒气，看大树们黑暗的枝丫伸展到夜空里，过山车停止旋转的时候，整个乐园显得非常安静，轨道架起它高耸蜿蜒的骨架，像搁浅的巨大鲸鱼，血肉尽失，只剩骨架。

四顾无人，倒也是很舒服的时刻。我不喜欢聊天，靳山知道，但他并不介意回应。我伸展双臂，活动了一下因为坐着而有点憋胀的四肢。

最先亮起的那颗星是金星，叫作长庚，意味着长夜即将到来。它的微弱光芒，只够隐约看到，却算是最亮的那颗，它应该是个巨大的火球，站在宏大时间线上看，我和这过山车都不值一提，但这连悲观都算不上，我任由自己这样想。

隔壁城市新开了电影乐园，甚至运用了VR技术。过山车被高科技包装，全室内，解决了山车受天气影响的可能性，再加上鲜活立体的视觉呈现，比我们这个不知高级多少倍。电影乐园开业的时候，靳山去刺探过，回来后他说，那里的管理员，全是女孩，也不知哪里来的力气，还要假装宇宙舱的引导员，声音手势都经过训练。"'欢迎您，船长'，她们大声地喊着，精力充沛，一天下来肯定累死了。"他补充，用来反衬自己"请大家在线外等候"多么无聊，以及根本没人听他的啊。

但其实本质是一样的，离心力，速度感，我这样想，目光循着过山车的骨架，像跟它对话一般。铁器有自己的声响，未做隔音处理，所以异常清晰坦荡，和隔壁城市的过山车比起来，大概只用原始两字便可概括，可这才算过山车嘛。

"喂，你有没有看到我？"一个声音拔地而起，嗯，说拔地而起并不为过。

我回头看去，一个女孩站在游客入口，夸张地向我挥舞手臂。

"并没有到关闭时间，你在干什么？"她自顾自地大声问我。声音未经规范，或者，很难管理的样子。

我走向她，她看起来和我同龄，或者比我大一些，显然喝了酒，两颊泛红，头发平顺地垂着，搭在黑色大衣上边，唇色有点浮起来，之前大概哭过，但不是大哭，睫毛膏被轻微晕开，显得眼睛更大一些。她口中哈着气，见我过来，像在河岸抓到了船家一般。

"小孩儿，快点儿，我要坐过山车。"

我当然不是小孩儿，身高一米八零，但因为瘦，会被误认为还在上大学的样子。

她扬起手中的票，带着挑衅看着我。我没有表情，并不接受这样的挑战，她被酒意壮了胆，我想，不冷吗，难道？

她的大衣没有系扣子，露出白色的高领衫，下边是短毛呢裙，但或许她从厕所出来比较匆忙，一半毛衣掖在裙子里。谢天谢地，她没有裸着腿，但丝袜上膝盖部分已经斑驳，可能之前滑倒了，脚上的鞋子显得有点大，又让她更高一些，整个人看起来摇摇欲坠。

"对不起，如果您饮酒了的话……"我想应该拒绝她，毕竟靳山不在，这样做不符合规定。

"谁告诉你我饮酒了！"她急切地接了一句，又从随身的包里掏出一颗梅子糖，肆意地大嚼。大衣的袖口宽大，让她动作做出来有一种蠢蠢的感觉。"喂，小孩儿，谁能证明我饮酒了，我喝的是药好不好？"

是梅子夹杂着酒的味道。

见我静止不动，她打开入口的搭扣，直接冲了进来。

"饮酒的人，不适宜坐过山车，请您配合。"我试图伸开左臂拦她，她立刻双手伸过来，紧紧抱住我。离我更近，酒气清晰可闻，夹杂着香水味儿，还有洗发香波的味道。

"我只喝了一点点，小孩儿，我很清醒。"她笑了一下，然后露出楚楚可怜的眼神，"求求你了，我今天必须坐一次过山车，才能完美，炸鸡吃过了，酒喝过了，就差这个了，而且，今天他妈的一定要下雪啊，拜托。"她像是对我说，但我不掌管下雪。

女孩应该是奇怪的物种，她们每个人都认为自己应该操控一切，又要让别人觉得她们弱小，需要网开一面和无私帮助。

"看起来……会下雪。"我不知道为什么会接她这句话，手臂被她抱紧，只好试图挣脱她，但显然不能，她几乎要在我的左臂上睡去，睫毛闪动，嘴里喃喃自语。

"小姐，您看起来喝了不少。"我声音平静，不容拒绝，毕竟这样于她于我，都是最好的，要真是在过山车上吐起来，又得清扫，何况天又这么黑了，我想，不禁皱起了眉头。

我曾见过在坐过山车后被急救的心脏病患者，他看起来也才十八岁，苍白瘦削，身边的同伴大声惊呼，他嘴角飘散着一丝涎水，看起来像沉睡了。

"喂，小孩儿。"她突然醒来一般，睁大眼睛用力看着我，松开我的手臂，又踮起脚来揉我的头发，"并没有很多，我不是那种借酒消愁的人……"她定睛看着我，似乎让我相信她，"我又没失恋也没有失业，我就是特别高兴，谁规定一个女孩自己不能喝酒啦？你说是不是！"

为了证明自己，她单脚站着："你看，我很清醒，我还可以单腿走直线。"她单腿弹跳起来,双手插在大衣口袋里,这样整个人的摇摇欲坠更为明显。我要伸手扶她,却被突然回头的她制止了,她尽可能地站定,看着我。

"我可是个律师,你的同伴擅离职守,这样的器材本不应该一个人看守,以及在乘坐说明中,醉酒者并没有严格的限定,你怎么来判断我饮酒了呢? 基于以上两点,小孩儿,我命令你赶紧给我开起来。"她没有再打磕巴,显得不容置疑。

不过她说得也没错。

她自顾自地冲到过山车上,并大力扣下安全带, "Let's go!" 她回头看我,竟然笑了。

"你……"

"你什么你,小孩儿,赶紧着,我已经做好了飞行准备。"她冲我大声说,声音未经管理,说完,又大力鼓起嘴巴,目光坚定地望向前方。

"可……"

"可什么可,你这小孩儿怎么未老先衰,看起来死气沉沉啊,我自己对自己负责! 你能不能赶紧去工作! "她突然想起了什么,俯身下去,然后两只高跟鞋被她丢了出来, "这玩意儿,太不搭过山车了。"

她看起来有些疯,我想,长久纠缠下去对我一点好处都没有。

"不可以……基于只有一个人不能开动的原则,我似乎也无法给您开动。"我站在原地,声音平静如常。

律师小姐并没有泄气,保持着更用力的姿态,斜着眼睛看向我:"但一个人并不是我造成的,你们的工作人员临时脱岗,并且,你们没有任何专业工具来确定我醉酒,如果有的话,我立刻下来。"

我确实没有,甚至如果不是靳山临时走开,我都不会接触到任何乘客。靳山对待醉酒的乘客非常凶,有时候他懒得发现,任由他们上车,事后,清扫站台变成非常麻烦的工作,他皱眉说,嗯,坚决不能让酒鬼来坐过山车,他捂住鼻子,露出小眼睛。

我想了一下,只好回到驾驶舱,按动了开始键。

律师小姐在空中旋转,尖叫声响彻云霄,惊动夜鸟。她看起来和我同龄,扮相却让她显大一些,但未经管理的声音暴露了她。律师小姐尽可能憋住的尖叫,到第三个弯道变得肆无忌惮,到最高一个螺旋的时候,她喊了半声,再也没有声音。

会不会死了?如果靳山在,他一定这样说。他从不缺临时的刻薄,偶有大叔带着小女朋友来坐过山车,他都揶揄道,"叔叔,您带着女儿慢走啊"。旁边的女人必是精心涂抹的,没有女儿会化这样的妆跟爸爸在一起。

这样的女人,根本比男人胆子还大,如果一个人来,在顶端拍照的时候可以单手比"耶",但面对需要陪伴的中年人,立刻变得像小白兔一样孱弱，有的会哭出声来。

男人立刻抱住她们，也不怕被她们的眼睫毛戳伤。这些女人像奇怪的橡皮泥，可以被捏成任何形状，当然，要她们自己愿意。

现在黏在过山车上的这位，则毫无声息，她到底怎么回事？我冲出来，到终点的位置等她。

她垂着头，一动不动，安全带"啪"的一声弹起，掠过她的头发，或许是静电的缘故，让她的头发呈现出一部分直立的状态。

"喂。"我觉得出大事了，一个人管理机器，一个人违反规定让一个女醉鬼上车，导致有心脏病的女醉鬼死亡，这可真是一件麻烦事，尤其是对于需要不和人接触的我来说，我可不想去警局。

哦，警察先生，我的过山车吓死了一个人。这样报案可以吗？

"喂……"我再度喊她，她并没有动，甚至连呼吸都没有，头发垂着，看不到脸，更别谈表情。我俯下身去，想去看看她。

"丁零零……"闭园钟声突然响起，我被吓了一跳，腿一软险些瘫倒在地。她显然是要吓我，但也被铃声吓了一跳，这破坏了她的节奏，让处于紧张吓我的她功亏一篑。

为什么女孩儿们会这么自信，认为和一个陌生人开玩笑很有趣？我嫌恶地想，尽可能站直，让表情恢复如常，这样的失态让我非常不适应。

"哎呀完蛋了，我的嗓子劈了。"

声音确实出了问题，声带如同甘蔗被切掉了一半。

她试了几个音，啊，啊，啊，到较高的部分，果然毫无结果。

"喂，小孩儿，我是一个女高音歌手，我失去了我的高音，你要负责赔偿。"

3.

　　每天，闭园钟声之后，我要花三分钟，到旋转动力部打卡，再步行三分钟，到游乐场正门，乘坐七号线回家。

　　临下地铁前，我要买一瓶热牛奶。便利店值班的大雄，手臂非常细，说话粗声大气，他可以叫出我的名字，每次都跟我开玩笑说："哟，过山车小林先生，您下班了？"只是以示礼貌。

　　大部分时候我不需要回答他，他也不会再说话。

　　牛奶喝掉，这一天，基本上就算过去了。

　　今天，我到旋转动力部打卡走了八分钟。到游乐场西门便利店，我花费了十分钟，因为我背着已经醉倒的律师……哦……不对，是女高音歌唱家小姐。虽然她不算重，可背十分钟还是非常累的，更何况，我还要单手扶住她的同时，另一只手拿着她硕大无比的高跟鞋。

　　习惯的打破，让所有人都像第一天遇到我，包括保卫安程，都在此刻醒过来，好奇地问，谁啊。

我像运送女尸的杀人犯一样，羞红了脸说，一个朋友。

哇，连川成都有朋友了。安程笑我，像我就应该且必须是一个人。我打完卡迅速转身走了。

"难怪都下雪了。"保卫安程补充道。

果然，我的心情好了不少，抬头望去，天空开始窸窸窣窣地掉下雪花，路灯射出区域的光，像一个个巨大的喷水壶，呈现出童话般的场景。

如果不是背着一个人的话。

女高音小姐并未发出声响，她的手在我胸前交叉，又被宽大的衣袖挡住。

她是在说"完蛋了"这句话之后醉倒的。

吃了炸鸡，喝了啤酒，坐了过山车，完成一天任务，然后轰然倒下，像一根直立了七十年的大烟囱，可这与我何干？

与我何干！！我的内心狂吼，但看起来还是任劳任怨。

我去便利店，大雄说完"欢迎光临"之后，满脸疑问地看着我。我一定略显狼狈，但习惯保持没有表情，他准备好了问候，只好依次把它们说完，不然像仪式行进了一半。

"过山车小林先生，您下班了？"

我支吾一声，伸手去拿牛奶，又迟疑了一下，说，两瓶吧。

大雄意味深长地笑了一下，给了我两瓶，又贴心地走出来，把它们放在我大衣的口袋里。

牛奶瓶在我的口袋里发出轻微的碰撞声，像奇怪的节奏。我背着女高音小姐略显茫然，如果她仍旧这样不省人事的话，我并不知道该如何处理她。呃，说处理也好像不对，毕竟她目前虽然状如尸体，但仍旧是个大活人。

路已经开始被雪覆盖，有脚印们挤挤挨挨通向地铁站。路人没有侧目，他们对在游乐场出来的男女情侣并不在意，不管他们用什么样的姿态，脸上画着什么鬼东西。

到地铁上，我把她竭力摆成正常的样子，但还是放得有点重，可能戳到了她的尾骨？她咕哝了一下，证明她确实活着。她看起来长得不错……呃，虽然我也没什么判断，但皮肤看起来很好，嘴唇略厚，睡着的样子也像生气，显得倔强。

可能因为在过山车上哭过了，被泪水冲刷之后，她的眉目更清晰了一些，反而显得亲切，只是眉毛皱在一起，看起来梦境不算美好。或者她真的是个律师，刚打完一场不轻松的官司？或者她是一个今天被淘汰不能唱主角的女高音歌手？总之，我断定她是经历了一件不开心的事，才会在即将闭园的时候冲进游乐场，迫不及待地要坐一次过山车。

"前方即将到站，迟远站。"

报站声响起，她突然睁开眼睛，看我正定睛看她，也没有丝毫羞怯和不好意思。她整理了一下大衣，又捋了下头发，穿上高跟鞋，站起身来，向我点了一下头，再用劈了的声音说："谢谢你，白龙马，刚才实在是走不动了。"然后大剌剌地冲我笑了一下，再俯身下来，左手在我眼前虚晃了一下，然后右手迅速地从我衣兜里掏出一瓶牛奶。

声音里，高音像被抽去了，只剩下浑浊的中低音。

我被她装醉骗了，我想是这样的。

"嗯，还是热的，谢谢你，不过，就算是你的补偿吧。"地铁停在迟远站，她转身下车，动作灵活，毫无醉态。

"呃，不过声音真是劈了，还好，我是魔术师，根本不需要声音。"她说。

"林川成，谢谢你啊。"她在车门外站定了，用手指了下牛奶，狡黠地一笑。

地铁门应声关上，将她粗哑的声音关在了车外头，"你怎么知道我叫……"我问了半句。

"林川成？"后半句被我吞了下去，她的笑脸定格在地铁门外，旋即被疾驰的地铁甩在身后。

嗯，她刚才装睡，捉弄我，还是个善于收集证据的人，我这样想，或许她真的是个律师也说不定。

但和每天都会遇到的奇怪的人一样，她只是个无聊日子的馈赠罢了，不值一提。

看着地铁车窗影子里的自己，我叹了一口气，今天要结束了。

我从山目站下车，步行四分钟回家，我住在一个叫风和的公寓里，算是闹中取静。邻居是我的好朋友陈悟，因为有陈悟做伴，我妈放弃让我去美国的想法，任我独自居住。她做了很多努力，为了更像一个亲生母亲的样子，我理解她。

但秘密也不能告诉她。

牛奶瓶和什么发出撞击声，发出一声小巧的提醒。我对声音和气味格外敏感，这算是个特长，但特长于我毫无用处，即便我可以在高速旋转的过山车轰鸣声里，发现靳山扣子掉地上的声音，以及他女友身上特有的廉价香水气味，以此判断他昨晚住在自己家还是女友家。

但这也毫无意义。

我伸手掏兜，发现兜里多了一块糖，是梅子糖。

路灯发出晕黄的暖光，雪仍下个不停，路上没有行人，简直是我在独享整个雪天。我笑了一下，真是个身手敏捷的女孩子啊。她真的是魔术师，还是歌唱家，还是律师？

走到公寓门前的时候，我发现我不认识奇怪职业的人。我的好朋友陈悟，不过是个吊儿郎当的富二代，他经营一家广告公司。我觉得，他上班是为了展示他的穿衣品位，被杂志采访，以及这样才能有"休假"这两个字出现在生命里，不然，他的人生，就只有休假。

引擎声在我的左边停下。陈悟从车窗里看出来，头发根根分明，构成好看的圆寸形："喂，镇定剂，你傻笑什么？"

我在衣兜里攥紧了梅子糖，像怕被陈悟识破一样。"没什么。倒是你，此刻出门，大概是有重要的事情要做？"我反客为主，直接提问。

"呃，"陈悟揉了下鼻子，"真是瞒不住你，确实，我遭遇了劲敌，三次见面，还不主动约我！"他挑了下眉毛，像一个打败了游戏又攒好钱再度冲击游戏厅的小孩儿。"不过，今晚一定拿下。"他又邪恶地笑了一下，虽然只是假装邪恶。

"你记得吃药，记得啊。"陈悟说完，"我先去，这女的，我迟到一会儿就会小题大做。"

我点头称是，看他的银色奔驰迅速开出小区。

也不知道为什么我们是好朋友。

到家，便当放在厨房里，有指定位置；大衣脱掉，按照编号悬挂，拿止菌喷雾喷三下；带着代币去楼下花园遛遛，等待它拉屎尿尿。

哦，我忘了说，我有一只拉布拉多犬，名叫代币，是我在游戏厅门口捡来的，当时它刚满两个月，看起来骨瘦如柴，随时可能死。陈悟说，你能照顾自己就不错了，还要养着这个，假装盲人吗？陈悟看起来很嫌恶它，又禁不住和它互动。好斗的陈悟试图征服代币，代币冲他低吼，躲在我的身后，并不受他的控制。

"在游戏厅发现它的,叫代币好不好?"

于是,虽然是陈悟起的名字,代币却一直把他当作入侵者。

回到家里,给代币擦干净脚,再给它倒好狗粮。

我在沙发的第一格喝掉牛奶,拿起编号57号的本子,用来记录今天必须记录的事情,以方便日后查阅。

代币把头放在地毯上,斜着一只眼睛看我。

嗯,似乎没什么可记,我写道:"下雪了,值得喝一杯。"

然后慢慢地洗漱,换上有编号的睡衣,今天该穿1号。

我的卧室,东西很少,看起来清冷。陈悟说,这真是性冷淡的风格啊。

拿出药盒,两粒,看起来胶囊平凡无奇,哇哇哇,陈悟每次看到都说,负担不算重哦。

他真是个精力无限的年轻人。

我吞掉这些药片,关上落地灯,躺在床上准备睡觉,药效很快就会到来,我非常适应这些。

然后,我突然起身,到大衣柜前,从口袋里掏出那颗话梅糖。

药效上来了,我的头开始像被什么东西叩击,发出持续性的疼痛。

这世界有无数的符号、图像、气味、人的面孔、人和人之间发生的事件。为了方便储存,它们都被统称为记忆。

曾经看着电脑,我问:"你说那些删除的东西去哪里了?"

陈悟没有回答我，文件被甩进回收站里，发出清脆的揉纸声。那是一张类似A4纸被一双大手迅速变成纸团的声音，文件们像发出最后的一声呻吟，旋即消失不见。

你说那些删除的东西去哪里了？

"你不用惊慌。"

"在这个世界上，和你同样的人有七十九个。"

我需要靠轻轻读出声音，才好理解这些文字。

在编号57号日记本的扉页这样写着："每天，你都要服用一次药物，以便清除你多余的记忆，它们并不重要。"

"学名叫超忆症。"

"大概意思是，你会记得发生的任何事情，包括时间、天气、温度和细节，犹如存储无数的单帧图片，但这对于你的正常生活来说，负担太重了。"

"试着清理它们也不痛苦，当然，你的损失是，你将失去刚刚发生的一切。"

"这样你就是一个看起来普通的人了。"

"或者，它只是你不可多得的特征，区别于他人的秘密。"

我看着那颗糖，它散发出淡淡的梅子味道，即便被糖纸紧紧包裹着，它逐渐变得模糊，我听见自己的呼吸声。

嗯，或许，女高音小姐、律师小姐、魔术师小姐，应该不会再出现了吧。

4.

我睡到将近中午，拉开窗帘，冬日的阳光慢腾腾地照进来，像原本是停在窗口发呆一样。

我感觉这房间非常熟悉，其实又极其陌生，大概状况，你可以想象你昨夜宿醉，早上醒来环顾四周的感觉。我对清理记忆并不陌生，这七年来我一直都这样做。

像我这样的人这世界从不缺乏，所以我不觉得自己是这世界上为数不多的七十九分之一有什么可说的。

坐在床边上发呆五分钟，看细小的灰尘在光晕里很从容地旋转，再下去花园遛代币。它在客厅发出兴奋的呜呜声，像马上要开始一场长途旅行。

雪停了，在阳光下闪着光。代币的脚踩进去，形成梅花的形状，它跷起右腿，在树下撒尿，看我看它，就把脑袋别过去。

于我而言，每天和它初次见面，却不用和它说请多关照。陈悟说做狗主人要有掌控的状态，狗才会言听计从。代币恪尽职守，忠心耿耿，走路挺胸抬头，似乎为了让我适应它，永远保持着固定的距离和节奏，它准确、温和，是像钥匙、牙刷、茶杯一样自然而踏实的存在。

虽然，每天我都需要重新认识它们一遍，我简直要被这矫情的句子逗笑。呃，或许这些年里，我已经被自己逗笑过很多次了。

每个周一，我都有一天的休息日。我会去买必要的生活用品，除了水，大部分都可以靠便利店解决。因为每天吃到的东西都像新的，所以也没有无趣这件事。

回到家，帮代币倒上狗粮和充足的水。再到洗手间里，镜旁贴着一些便利贴，各种颜色，包括我的身高、体重、姓名、血型、工作地点，大概可以勾勒出我的身份。

这于我不算困难，默记一分钟就烂熟于心。我可以迅速恢复如常，包括坦然处之的表情，我试着发出声音，说你好之类的，再点头微笑一下。

镜中的我表情淡然，单眼皮，皮肤白皙，戴眼镜，鼻子挺拔，鼻尖小巧，显得秀气。按照提示，我应该二十五岁，身高一米八零，在八角游乐场做过山车司机及秩序员，唯一出格的大概是头发，可见我昨晚辗转，睡得不算安好。

我摘掉眼镜洗头发，洗发水散发着柑橘香味，擦干之后，前额被整体盖住，我恢复了一些神采，对镜中的自己说：你好。

像一个温和得看不出破绽的年轻人。街上大多数人都看不出破绽，除非你细心观察。

更早的时候，一个叫草真的医生告诉我，你不会丧失基本的语言能力、常识、对世界的基础判断，因为你保存它们的地方，和常人无异。

他单眼皮，眼角有四条细纹，左侧多一条，大概常眯起来看片子，左边眉毛眉峰处有一颗淡斑。他看着我，说："但你负责短时记忆的部分，嗯，和我们不大一样。"

他的话，终于解决了我多年来的疑问。这疑问一直藏在心里，让我必须保持沉默，以便更像个普通的男同学。

草真医生语调平缓，对我保持着充分的礼貌。他或许已经抑制住发现世界上为数不多病例的兴奋，面对我时，他很克制，似乎见怪不怪，口罩遮蔽了他的大半表情。

"主要是没有案例参考，并且，对于大脑这个器官来说，我们知之甚少，便于你理解的话，这种病症带来的困扰，大概是情绪比较复杂，你的记忆会像……嗯，一个不停注水的气球。"

"那它会不会爆掉？"我仅表达我的好奇，像聊一个真正被水充满的气球，以及它是不是会真的爆掉。

所以大可不必惊慌，你被赐予设定的同时，大概就会被赐予应对这样设定的天赋。我一贯淡然处之，这样的性格在此时发挥了应有的作用。

"理论上不会，但你会对情绪失去控制，表现大概是大哭或者大笑，并且毫无征兆。"为了慎重起见，草真又沉吟了一下，"当然，因为科学上对这种病症的观察实在太少……"

到我十九岁，我情绪失控共计十三次，公交车上两次、电影院一次、餐厅一次、家中九次。这都说明，我是一个宅男，呃，我也不知道我为什么总结出这个。

我从小就很奇怪，这我习以为常。只要我见过的我都记得，并且没有需要不需要，都记得。

甚至，我可以把当时的情况放大细节来查看。我和旁人在街上聊天，就记住了来往车辆的牌号，当天的天气，走过的女生的年龄，如有必要，可以看看她拿着什么牌子的手机，以及胸卡的公司名称。

更简洁点说，十八岁后情绪异常的情况开始频繁出现，似乎某个闸口被打开，我会迅速陷入某种情绪，大笑或者泪流不止。

这当然影响我的正常生活。

第一次痛哭不止，十八岁，让在餐厅和我约会的女孩异常尴尬。那时她正在讲自己宠物仓鼠多奇的故事，故事并不有趣，她又讲得毫无重点，只是用了很多类似"超级可爱"之类的形容词。

她为了让约会显得正经，刻意披散下自己的长头发，女人比男人早熟，大概这样的约会对她来说意义非同小可，以至于她多少有些做作，我这样想着。然后突然想起，两岁半时我也曾有过一只叫作米米的猫，它通体洁白，会用眼睛和我交流，甚至会诱导我拿饼干或者给它开门。它真是一只聪明的猫，类似无师自通便可以奴役男人的女子。

我三岁前不会说话，唯一真正的交流只是和它，直到它后来误吞下食过鼠药的老鼠，可它分明不饿，大概只是因为好玩。当晚它异常痛苦，蹒跚着走过来，眼神努力集中看向我，但又力不从心的样子。我觉得它叹了一口气，带我到大门口，大概是让我给它开门，我打开门，它痛苦地呜咽了一下，转头看我，自此没有回来。

我会成句说话之后，问，米米去哪里了？

母亲惊讶于我记得这只白色大猫，说，可能贪玩，跑出去了，只是再也没有回来。

我知道它死了，只是不想死在家中被我看到。我想起得到母亲回复之后我的痛哭，脑中像有什么——好像三角铁之类的东西"叮"地敲了一下，情绪从那时复制到此刻，正在约会的我立刻泪流满面，声音也无法克制，几近号啕。同我约会的女孩成绩不好，身高一米六五，身材过度发育，显得比实际年龄大一些。她涂了过红的胭脂，被我一吓，面部像被开水烫过，她拉我出餐厅，帮我擦掉眼泪，我并未停止号啕，她匆匆说了再见。

自此，她见了我跟躲鬼一样，当然，为了避免见她，我熟记了她上学的路线，绕道而行。

还有一次，电影院里主角怒吼，发自己的脾气。我所有懊恼的时刻就集中爆发，再在这个点上瞬间迸发出来，然后我突然也咆哮了一下，之后大哭不止。

当然，还有公交车上的大笑让乘客们感到好奇，继而寻找周围哪里值得发笑。我只好用手势让司机停车，在太阳下笑得面红耳赤。

这倒不痛苦，甚至我觉得也不算难堪，但对习惯于隐身在人群又不善言辞的我，因为自己情绪失控惊扰他人又被关注，是一件麻烦的事。

情绪不受控制时，会想起生命里所有的"滚"，虽然它们为数不多；听到"我爱你"这样的歌词，所有有这句歌词的歌就全部充斥脑海；尴尬的时候，就会出现有生以来的全部尴尬；而如果真的被激怒，就是这么多年来怒气的叠加。

这让我非常崩溃，一方面，我内心知道自己只是被记忆触犯，按到了我的某个情绪的开始键，一方面又无法停止，直到呼吸都变得困难，整个人抽搐起来。

随着程度越来越严重，我不得不到草真医生这里医治。

我变得更加沉默，抗拒进入更多人的场合。为了减少这些麻烦，我不得不更少地交朋友、与人对视，虽然我内心明白，这于我的成长并无好处，但好在大家都在忙着长大，像我这样沉默的人只被评价为孤僻，并没有被人刻意解决。

我没有毕业合影，必须避开人群需要聚集的地方，包括很难去影院，或者参加聚会。我必须保持稳定情绪，强迫训练自己平静，不想任何事情。

我基本不用睡觉，大部分时间，我和数字、词典、长句子、姓氏名录为伴，以减少情绪对我的干扰。记住每朵花的名字，知道地球上所有的物种、河流的支流、山脉的形成、水的状态、化学元素的名字以及在什么情况下产生变化。

知识从不亲切，但也没有情绪，适合一起入睡，也适合恢复如常。

当然，因为超强的记忆能力，我过目难忘，不用背诵，可以清晰记得老师讲的课程，黑板上的板书存储在我脑中，大概类似一张张精度非凡的照片，还是可以手动放大缩小的那种，只要我愿意，我可以清晰调出任何我需要的细节。但为了不被人注目，我需要多做错几道题目，考试的大部分时间，我都在自己计算分数，力求考试保持着中等水平。

大脑是人体最重要的器官，这句话竟然是大脑告诉我们的。这句话，看起来真是诡异异常。

我捶打我的头，它看起来和捶起来都没什么不同，可被比作被水充满的气球，则像肩上托着一枚定时炸弹，要随时炸开庸庸碌碌面目平凡的人群，或者待我如常人的其他常人。呃，这对别人不公平，我这样想，继而坚持治疗的决心。

"除了偶尔像个神经病，你是个很棒的年轻人啊。"我唯一的好朋友陈悟说，又试图用手摸我的头。

我敏捷地避开，对他的认可表示认可。

我和陈悟幼儿园就认识，记得他每个成长的瞬间，包括一次在课堂上把屎拉在裤子里。后来他得了肝病，复课的那天仍脸色蜡黄，下课了全班同学都躲出去，只有我还坐在原地不动。他说，我同桌都搬走了，要不我们当同桌吧，我说好。

其实我也是没什么地方可以去罢了。

后来陈悟告诉我，他是那种狗一样的人，一旦认准了，大概就可以做一辈子的朋友。

那时我不了解狗，或许它们就像陈悟一样。他高大挺拔，眉目好看，笑起来像个发光体，耳垂上有一颗痣，像耳钉般大小。

拜大脑所赐，他边长大边忘，我却对他了如指掌。

他的个子和蠢成正比，越高越蠢。他陪我去看医生，认真地听完，又认真地思考，我几乎可以听到他脑浆转动的声音，最后只换来他说："仔细想想，还真有点酷呢。"

然后他问："我能不能清除一下关于所有前女友的记忆？医生。"

我几乎要喊出："滚。"

草真医生说："不可以，单独去除某段记忆是不可能实现的，川成能做的是短时记忆清除，只是保持现状的一种方式。"

"别开玩笑。"对我来说，这倒不算痛苦，除了吃药当晚，我的头会像星系重整般疼痛。为了方便向陈悟描述这种感觉，我说，吃药之后，大概像锅铲在铲掉残留在锅边的鸡蛋碎屑，并发出同样的声响。

人一旦接受某种设定，其实便容易面对自己的生活。

才发现，我确实记得出生之后所有的事情。包括我额头上疤痕的形成，妈妈第一次听见我喊她妈妈时候的表情，第一天上学做自我介绍，第一次得朗读比赛的冠军得到掌声，之后知道被人关注真是麻烦再也没有参加过。

当然，我也记得，亲生妈妈戴着眼镜，哭着看我被一个中年人抱走，她留在窗边哭泣，只留给我一个背影。我坐了很长时间的车，竟然也没有哭，甚至咿咿呀呀地看着窗外。这个妈妈欣喜地接过我，拙笨地学习育儿，她多年未育，但我没有说破这些，她后来再婚，嫁人，我都当她是亲生妈妈看待。

除了偶尔可忍的头疼，我都在平庸无奇地长高，超级记忆的事情，被我当成一个贴身秘密收存，因为讲解起来太麻烦。陈悟说那是怎么回事呢？我只能尽可能地描述，比如，调取记忆像在库房选取照片，它们悬挂在那里，上边标注着时间、地点、天气状况等细节数据。

陈悟呢，说："酷极了。"

我没有超级英雄梦，更不是戏剧性人格，于我来说，这件事只是一种设定罢了。我对妈妈隐瞒了我的脑袋像个随时会爆掉的充满水的气球这件事，即便我认为这真是个好的比喻，以方便她再婚后可以安心地离开这里。她在美国，每月给我固定的生活费。

每次我和她通话，都做关键问题的记录，以方便下次时使用，每天清除记忆，我竟没有露出破绽。

此刻，毫无破绽的我发现写字台上有一颗梅子糖。我拿起来端详，又翻开本子，上边没有任何记录，大概就是不要记录吧。

"镇定剂，快来我家。"手机振动了一下，落款是陈悟。

把糖放在大衣兜里，我大概又要光荣救驾。

5.

我是一个必须保持镇定的年轻人，我有一个秘密。

人生对人最大的教化，莫过于让他们接受人生设定。（不就是认命吗，呵呵。）

我的人生设定，是每天，重新跟世界打招呼一次。

不过也无所谓啦，因为反正我需要打招呼的人也不多。除了吃药之后的昏睡，这大概并未给我带来困扰，我有时会想谈个恋爱，但觉得好麻烦，就作罢了。

只要遵守固定路线，身体会有自己的记忆，像手指会准确找到回车键。

生活没有目的，爱情也不是必要。我真是一个轻快的年轻人，即便看起来，我面色苍白，眼圈黑得非常明显。

陈悟住在我的隔壁，我走过去，还没敲门，门就立刻被打开。

然后，像风一样的男子陈悟疯了一样地，从我的身上扒外套。

"喂，你要干吗？"在我缓慢说出这句话之后，我身上的旧大衣已经被他抢了去。

他站在穿衣镜前穿好我的外套，用手把竖起的头发揉平，再摘掉手上的戒指，给我套上。

"娶你行了吧？"

"不行。"我说。显然慢了半拍。

他把自己的羊绒大衣扔给我，香水味兜头扑过来，我连忙挡住它。

"你这大衣不适合我，太贵了，羊绒质感好，但让人觉得不安。"我说不快长句子，说完之前，我已经被他强行穿上他的大衣。镜中的我显得怪诞，大地黄的羊绒大衣，更何况，它还是牛角扣，我不喜欢，我只爱棉和纯色。

"你太需要不安了，镇定剂。"陈悟认真地看着我，再帮我把领子翻了翻，他鼓掌，"不然你的人生得多无趣。"

"我新认识的这个女孩，我一直都说我是开过山车的，昨天吃完饭，我送她回家，怕暴露身份，愣是坐地铁送的她。现在你的任务是：一、去帮我把车取回来，地址在吉屋大厦B2 3006，二呢？"陈悟说，"……没有二，现在就出发吧。"

我皱起眉头。陈悟当了老板之后得了一种说话必须分一、二、三的病，这真让我觉得难堪，尤其是他只有一，没有二、三的时候。

"呃，你确定我能记住你的车牌吗？"我缓慢地说完，已经被陈悟推到了门外。

他塞给我车钥匙，又说："林川成，基础记忆，你是世界上领先的七十九个人之一。现在，我要向你学习，我很平常很平常很平常。"他用手扇风，想让自己恢复冷静。

真是有病。

"还有……"他停了一下，说，"坐地铁挺好玩的。"

我想起那些在早高峰被挤得面目狰狞的人，觉得大概只有我可以担待陈悟这样的感受。

"我可没有当富二代的兴趣。"我心里这样想着，来不及说出口。

以及，你以为平常那么容易吗？

每对好朋友互为镜子，有时候又互为硬币的两面。我和陈悟的组合，大概对应着黑白、快慢，互为反义词。有天他总结说，这样的绑定令他的人生非常完美，他说，你这样一个没有记忆的人，对我来说真是天赐良缘。

是的，他对成语的使用令人发指。

车号GB45Q3，发动机号Q0106548932，违章驾驶扣分比他数学的分数还高，陈悟，富二代，身高一米八三，体重六十九千克。乐观明朗，相信任何事情都可以解决，不行还可以靠钱解决，实在不行，还有他老子帮忙解决。

　　富二代除了听起来美好，极富想象力，大多数人的生活都被父辈遮蔽。陈悟说的，当然原话不是这样，他有一次喝多了跟我说："你知道吗，林川成，我头上有房檐啊，走到哪里都有房檐啊。"

　　压力大，听起来有点矫情，当衣食无忧成为理所当然，陈悟的前半生都在和富二代这个身份作战，以此来证明，没有他爹他依旧可以过得很好。于是他自己隐名埋姓到一家广告公司上班，得到的结果是——不能过得很好。

　　衣服品牌剪掉，好看限量版的鞋子藏在衣柜里，车停到公司一站之外的地方，终有一天被同事在夜店里抓了包。

　　陈悟次日辞职，不再折腾，乖乖地接手了一家广告公司。

　　我说，凡事需要证明，就说明证据不足。他说，你每天哪里来那么多狗屁道理？

　　我说，在你交女朋友的时候啊。

　　他说，滚。

　　现在，我还要滚去帮他取车，还穿着他别扭昂贵的大衣，一只牛角扣子大概是快被他揪掉了，摇摇欲坠。

　　吉屋大厦B2，我滚到了之后坐在车里深呼吸，适应了一下座位，车里怎么形容呢？像陈悟的卧室，不，比那里更乱一些。

　　嘀嘀，有汽车警报的声音，循着声音看过去，一个女孩，正气鼓鼓地走过来。女孩真是奇妙的动物，她们力气小又暴躁，穿高跟鞋走路的样子像奇怪的鸟类，如果恰巧生气，就类似小型的食肉恐龙。大概是她伸手砸了旁边的车，那车正闪着黄灯表达不满。她看起来和我同龄，穿黑色大衣，头发垂下来，高跟鞋格外大。

走到我的正对面，她从肩上取下包，再把它扔到地上，单膝跪下，从包里掏出两罐东西，再跌跌撞撞站起来，走向一辆奔驰，在它的发动机盖上滋滋狂喷。

嗯，如果我没有看错的话，她应该是——在发动机盖上画了一坨屎。

当然，画得比较抽象。

我认出来，因为毕竟她还认真地选了黄色的漆。

这情况让我如坐针毡，看到人做坏事，像自己做了坏事一样，我们每个善良的男孩应该都是如此。

我简直要听到自己的心跳声，手心开始出汗，毕竟这是下午的时间，停车场里还常有车出入。

她没有注意到我，正专心补完屎旁的一个叹号，又摇动喷漆罐，发出很大的响声，再补上另外一个。她毫无紧张感，像在自己的客厅作画，貌似还哼着小曲，但听不到声音，倒显得车内的我呼吸声太大。

我不敢启动汽车，怕惊动她，一时间无所作为，只好眼睁睁看她继续在车上发表意见。她变本加厉，再涂第三个叹号。她或许是处女座，或者是双鱼，沉浸于自己的才情时，像大师面对自己的作品。

我几乎不敢大声呼吸，无意向左边看的时候，汗毛都要竖起来，因为一个管理员正慢慢朝这边走过来，那个被放在路中央的包包引起了他的好奇。

这个时候，管理员距离我和喷漆小姐大概三十五米远，按照他现在的步速，只需要再通过一辆车，他就能看到喷漆小姐的杰作，以及闻到车库里弥漫着的喷漆味儿。

怎么办，我看起来像一个正在放风的同伙，但不称职的是，我根本不知道用什么暗号通知她：有危险，赶紧撤。

我的喉咙发出咕隆一声，觉得鼻尖都沁出汗来，这真为我镇定剂的身份丢脸。

情急之下，只好用大灯晃了她两下，算作提醒，好吧，我终于成为她的同伙。

她正满意于自己的第三个叹号，被大灯晃了一下，目光转向我的车。我用手指指管理员来的方向，嗯，姑娘，希望我的动作够大。

她看过去，从容地把喷漆背在身后，高跟鞋发出咔咔的响声，再蹲下拿起地上的包。

管理员显然注意到她，她站直了，捋了一下头发，再挺起胸，加快步子向我的车走过来。

而我，竟然不争气地给她打开了车门锁。

她坐进来，系上安全带，说："还不走，要等着拉他吗？！"她指指加快脚步的管理员。

我火速启动了汽车，是的，肢体是有记忆的，就像手指会自动按向回车键。

在加速的那个瞬间，我听到了管理员大声地喊："喂！你们。"

她不动声色，像坐在她真的同伙的车上一样。我想，她大概也是一个奇怪的患者，或者她真的认为自己是带我来喷漆的吗？那作为小弟的我，是不是应该问她一声："您创作辛苦了？"

"林川成，谢谢你，"她突然拍我的肩膀说，"你别说，坐在这车里，再穿上这件大衣，我还差点没认出你。"

你靠什么记住一个人，以便区别于其他人？大部分人的身体没有标记，比如痣、刺青什么的，有时候相貌也靠不住，十年或者更多年后，你就很难分辨他们。

在开始吃药之前，我靠气味便可以辨别，此情此景在何时发生过，何种天气，是否有云，一切清晰如昨，可这些被记忆判定为没有意义，成为不停充入气球的水。

如果是你，你愿意删除哪一段呢？这真是一件很难的事。

她声音沙哑，高音像被抽掉，她说："真有缘分咱俩，林川成。"

6.

我早就忘了缘分这件事，或者这是人们找的借口，只为彼此接近，发生更多可能。

她直呼我的名字，口气一点都不生分。我尴尬地笑了一下，像个真同伙一样。这样的事情，万万不能让陈悟知道，我竟然在车库里救了一个女孩，还是在她喷了别人的车之后。

恐怖分子，一定是恐怖分子。陈悟的画外音带着环绕声响起。

我打开车窗，陈悟的香水味儿让我有点窒息，外边阳光刺眼，正是雪后初晴的样子。

我只好点头称是，其实是为自己赢得更多的时间，并竭力寻找线索，毕竟在我服药之前，我的生活圈子已经降到最小范畴，而服药之后，我都刻意回避和人形成紧密的关系，更别说是女人。

她是谁？

"很冷耶，林川成，你赶紧把窗子关上。"她用手按住被风吹起的头发，"昨天，谢谢你的热牛奶啊，没想到，今天又见面了。"

哦，大概我们是昨天认识的，我的慢反应帮助了我。她嘟起嘴巴，又认真看了我一下，再端详车里。

"没想到你是这样的林川成啊，开过山车的富二代？够酷的……"她调皮地看着我，发出一声笑，"你是在那里体验生活吗？"

比应对女孩子发笑更有难度的事，应该是应付她们哭吧。

我第一次恨自己脑袋中空无一物，哑口无言，不知如何作答。

是朋友穿了我的衣服——我穿了他的所以——我来帮他开车——这不是我的车。呃，对于慢速的我来说，这故事是不是有点长？更何况，到目前为止，我仍无法确定她是谁。

她是谁？在哪里见过我？为什么我还给她买了热牛奶？

我只好反客为主："你为什么要喷别人的车？"

她说："职业，工作！"

"什么工作？"我追问，作为同伙，我想，我应该有了解这个的权利。

"什么工作？……难道是汽车装饰？哈哈，趁午饭时间来个车漆护理。"她笑着嘟囔了一句，表情泄露她说了谎话。

她大刺刺地掏出一颗梅子糖。"你带我到赤金广场那里吧，我还要去上班。"似乎不容拒绝。

我竟然不争气地回答了一声："哦。"

其实，赤金广场在哪里，我并不知道。

车子行驶在雪后的路面上，偶尔有楼顶的雪被风簌簌吹下，在空中形成短暂的光带。她发出一声短小的惊叹，没有再说话，突然又想起来什么，从后排座椅上拿起自己的包，再掏出化妆镜来看自己的脸，顺便整理头发。

她的脸不算小巧，眉目很舒展，显得大大咧咧，眼睛和嘴巴被精细地描绘过，不说话的时候，脸上像写着一个不容置疑的"滚"字，让人不容小觑。

可也算是个好看的女孩。

女人真是奇怪的动物，我也许也是，我的双肩背包里有本子、笔、一次成像的相机，纯粹为方便保存重要记忆，属于非常必需的东西。她的包里，似乎有一间盥洗室。

然后她说："喂，你是不是不认识路，赤金广场，向右转。"声音依然是抽掉高音的样子。

我被这低哑的声音指挥，从中通路右转，再上高架，两座桥之后下来，赤金广场就在路的右边。

停下车，她向我伸出手，说："你的手机呢？"

我说："干什么？"见她的手持续伸着，不容拒绝，只好掏出手机给她。

"林川成，你真是个奇怪的富二代，怎么还用这种老土的手机？"她像发现了恐龙一样，发出一点都不尖的尖叫。

确实，我的手机都是陈悟的淘汰品，这个摩托罗拉的款式，大概看起来像个古董。我联系的人不多，别人也不大会找我，电话形同摆设，更何况，我是一个不需要信息的人。

她拿起我的手机，用短信打字，实体键盘让她有些困扰，眉毛皱在一起，手机发出奇怪的声音。她吱吱地打完，眼睛瞪得很大。

她把手机还给我，转身下车。

"谢谢你啊，林川成，你今天第二次帮了我。作为一个职业帮人复仇的人，我非常感激。"她夸张地向我敬了一个礼。

"不不不，谢谢。"我尴尬地回答，像随时准备逃跑。

她转身跑向赤金广场的写字楼，没有回头看我。

我好奇地拿起手机，在发件箱里，看见一个陌生的电话号码，里边是她代我发出的短信："尊敬的丁汐禾小姐，很高兴认识你，今晚六点约你在南熙路bota西班牙餐厅见面。"

然后我的手机又振动了一下，一条短信说："好的，不见不散。——丁汐禾。"

丁汐禾，代人复仇的女人？代人复仇的，都可以在赤金广场租办公室了？还穿得如此漂亮？为了掩人耳目吗？

我坐在车里愣神，后边的车急不可待地按起喇叭。我回过神来，只好赶紧把车开走。

下一站，南熙路。

7.

"镇定剂，你在干吗？"陈悟打来电话。

"呃，我在南熙路发呆。"

"发什么呆啊，车取了吗？"

"取了。"

"你晚上来接我下吧，我们一起吃晚饭。"

"可我约了人，吃晚饭。"我微皱了下眉毛，这对我来说，很难说出口。

"哟？"陈悟在电话里大笑，"谁啊？"

"一个朋友……"我真不知道怎么解释这个奇怪的丁汐禾。

"我没约你啊？"陈悟的冷笑话又来了，"不过是好事，行啊，你晚上给我老实交代。她换好衣服了，先不说了。"

陈悟匆匆挂完电话，我继续坐在南熙路的长椅上发呆，为了怕迟到，我送完丁汐禾直接来到这里。

反正是无事可做。

我对南熙路一点都不熟悉，看起来，这里更像一个游乐场、动物园、城市中心，灯红酒绿。呃，我抗拒用这么俗气的词汇描述，但好像脱口而出的词汇更容易描述状况。

我穿着别扭的大衣，坐在南熙路的长凳上看着人群发呆。天气不算太冷，雪已经开始默默融化，汽车驶过十字路口，大概开得太快了，溅起一些雪水，引得路边女孩哇哇叫。

女孩子们，负责制造这个城市的情绪；男人，则负责收集这些情绪，并对此产生反应。漂亮的女孩们获得更积极的反应，不漂亮的，会被人责怪：少见多怪。

真是残酷的男人们。

我这样想，显得百无聊赖，生活没有目的，爱情也不是必需，我应该不是个良好的情绪制造者。

五点五十分，我走进了bota西班牙餐厅。虽然看起来装潢高级简单，但桌子还是挨得近了些，略显压迫，桌间距可是餐厅的脸，后厨是良心。

压迫的还包括穿着黑色西装的店员，或许是西班牙人。我躲开他的目光，这当然辜负了他的热情，他走路的姿势显得屁股更翘，带着一种职业化的热络，竟然是标准的中文："先生贵姓？"

"呃，我姓林。"

"林先生订位了吗？"

"没有……"我停住步子。

"哦，没问题，那并不是必需的。"他在前边领我坐下，说话的状态像译制片，再把菜单递在我的手里，又倒上一杯柠檬水，"您先看菜单，有需要随时招呼我，我是Kevin。"

他转身走开了，留下餐厅一角的我。

天色已经黑下来，陆续有男女走进来，他们似乎和店里都熟识，被接下外套，走到座位上，像在自己家的客厅里。

我没有办法做到这样，我这样苦恼地想，这让我觉得自己有点奇怪，为什么，在遇到这个丁汐禾之后，我反复在思考，我是不是可以像刚才那一个男的一样，笑着又自然地帮女孩接过围巾，再给她轻松地拉开椅子，送她坐进去，这从来不在我思考的范畴之内。

丁汐禾迟到了，时间到了六点十五分，她依然没有出现。

餐厅里的灯光被调暗了，音乐似有若无，烛红摇曳。隔壁桌的男女开了一瓶红酒，果实的味道几经辗转，飘散在空气中，格外清甜。我不懂这些，但女人显然不爱那男的，我想，她并不欣喜于被照顾，眉间有为难的神色，她也不直视对方，如有必要，只是匆匆看一眼，立刻转向别处，更何况，她还时常拿出手机来翻翻。

在发现别人爱和不爱这事上，我有一定的鉴定能力，不知道算不算一种特长。让我不解的是，为什么男人视而不见这些问题，而女人的倦意简直要写在脸上了，却还要做欣然赴约的事？

丁汐禾带着一阵冷风进来，眼神迅速锁定我，远远用下巴跟我打招呼，发出明朗的一笑。这笑自然得当，看起来我们像是已经认识了很多年。Kevin叫她的名字，并把她的外套接过来，又引她到我的对面，熟稔地帮她拉开椅子，她坐在我的对面，眼睛认真看着我，身上还带着室外的寒气。

她的妆显然更浓一些，大概是了解这餐厅幽暗的光，她拿起我面前的杯子喝水，大口地咽下。"办公室的暖气太足，渴死我了。"她冲我笑了一下，顺带解开了自己的马尾，头发倾泻而下，覆盖在她的脖子上。

脖子上有条项链，坠子的部分是一只猫。

"对不起，迟到了，但我已经表现很好了，今天只迟到了十五分钟。"她声音里没有高音，听起来喑哑，也让笑声显得有点怪。

"想吃什么，西班牙菜，巴伦西亚，毗邻地中海，稻米之乡，海鲜饭，paella，嗯，这个我们两个一起吃，再来个沙拉，再加个风干火腿，两杯红酒。"她没看菜谱，像自言自语，又伸手叫来了Kevin，一一点了。

"你常来吗？"我问。

"没办法，好多工作，你知道，做金融呢，就要常和人聊，事儿都在饭桌上谈。"她的手摸着颈上的猫说。

"可……"我想起她喷漆的样子，以及她代人复仇的自我介绍。

"哦，对，你不会真的以为我是代人复仇的吧，林川成，你真是一眼见底的天真。"她大笑了起来，又意识到声音过大，迅速收声，再吐下舌头。

"那……"我发出沉吟的声音，现在，金融女丁汐禾正冲着我诡笑，像极了我上学时候的同桌。她乐于看我在所有脑筋急转弯面前哑口无言的状况，智商优越感分外明显。

"来，谢谢你昨晚和今天的搭救。"丁汐禾端起红酒杯对着我，眼睛里全是笑。

我尴尬地拿起柠檬水："可我要开车。"

"好吧，我不为难你，可是你为什么昨天在开过山车呢？"

"昨天……"我不知如何作答，其实，我对昨天一无所知，这个叫作丁汐禾的女人，口口声声表达对我的感谢，今天我当了她复仇的同伙，昨天我又在什么情况下"搭救"过她？还送了她热牛奶？

她似乎并不在意我的回答，一大口红酒喝下去，再叉起一片火腿，就着餐前面包用力地吞下，她看起来活力十足。

我的生命里，如果有明亮的部分，陈悟算一个，眼前，好像又出现一个，当然，谈"生命里"有点过分了。我不禁悲观地想，到今晚，这一幕将随着药片冲刷而下，明天，又是新的一天。

"你知道吗？我对你这样沉默的人很好奇，我爷爷就是这样的人，坐在那里，也不说话，好像也不感到憋闷，你给他讲个笑话，他当时不笑，过一会儿突然笑起来，所有的反应都像回味。"

"你们到底在想什么呢？"她边吃沙拉，边好奇地看着我。突然又把手伸到我的胸前，"扣子要掉了。"那粒本来摇摇欲坠的扣子，被她一下子拿了下来。

"你下午……"我觉得我需要说话，但不知道怎么开始，只好从下午的事情问起，毕竟，我们是第一次，哦，也许是第二次见面。

"代人复仇啊，没听说过啊，仗义行侠，共享经济，O2O，大家帮助大家……你有没有特别恨的人？网上发布，我们收代理费，线下执行。要砍人吗？川成。"她夸张地伸出手臂，做出砍杀的样子。

我缩了下脖子，不置可否。

"明天，我还接了一个重要的单子，要推一个人下站台，早上九点零五分，中山站。你要不要协助，酬金从优。"她拿起手机，假装看自己的备忘录，口气非常严肃。

"不不不。"我连声说不，虽然看起来她一副开玩笑的样子，以我短浅的社会经验，比如"人不可貌相"之类，丁汐禾，难道真的是个女杀手吗？

我没有幽默感，不善言辞，甚至有点沉闷，我突然想告诉她，我并不适合开各种奇怪的玩笑，一是不知道怎么接，二是我会信以为真。

"好啦，不吓你了，我其实是个美食家。我们交换下行业信息吧，我先讲，比如，我们眼前的这个西班牙火腿，iberico，算是他们国宝级的食物了，选用的是埃斯特雷马杜拉自治区特有的猪种，黑猪，并且完全是高温风干后再用蜡封上，几乎所有的脂肪都在高温风干的过程中变成油流了出来，低胆固醇，口感爽嫩。请问，过山车先生，游乐场有什么行业秘辛？"

她喝下一大口酒，单手托腮，依旧兴致盎然。

"其实也没什么……"我看着她，单手拿起一块面包，咬了一口，一边准备措辞，单手在杯子上滑动。

"听说你们过山车的部门，最后结束的时候都要空转一趟，以运载那些不知名的灵魂什么的回家，是这样吗？"她坏笑着直到她向十点钟方向看过去，一个男人在我们两桌之外，严肃地看着我们。他们应该认识，因为丁汐禾目光闪避了一下，继而面色一凛。

然后她又举起酒杯，要和我碰杯的样子。强装的笑容会立刻浮现，人操作肌肉的能力，最惊人的部分，大概就是立刻展现笑容。

我心里一沉，相信这场奇怪的饭局，会以奇怪的方式结束。

丁汐禾冲着我假笑，但明显有些不自然。她端着的酒杯停在半空，似乎有话要说。我只好拿起水来充数，她变得心不在焉，又有些沮丧，我几乎可以断定她和这个男人有什么联系时，她腾地站起身，把凳子大力地推开，走了过去。

我坐在那里不动，本来也不是同伙，我想，如果这是她代理的另一个复仇计划，我应该趁机溜走。大概我的人生，就是合理避开尴尬，现在的状况，很像下午的她拿着喷漆走向那辆奔驰车的时候。

8.

男人目光坚定，看起来三十五岁，头发一丝不苟地向后梳起，整个面庞看起来保养得当，穿一身灰色西装，黑色衬衫，是个好看的人。

我听不见他们说话，男人似乎张开了手臂，被垂手而立的丁汐禾拒绝了，男人没有说话，把手放下来。他足够成熟了，即便这样，也不显得尴尬。

我收回视线，一直注视会显得不大礼貌。当然，丁汐禾没有和我交流直接起身离开，显然也不礼貌，但我似乎也没有什么立场要求她。

大概三分钟，或者更短一点的时间，丁汐禾回来，看不出情绪，但显然不再像刚才那样神采奕奕。她像被打败的样子，头发垂下来，挡住眼睛。她说："对不起，碰到一个熟人。"

熟人、路人、家人、爱人，每种定义都有丰富的含义。

她没有看我。海鲜饭上来，她拿起硕大的勺子，又拿起我的餐盘，用力地把饭放进去，再盛出两只大虾给我。自己也盛了一些，大口吃起来，又塞了一些沙拉进嘴里，含混地吃着。

她像要吞下整个餐厅。

"若无其事，好像才是更好的复仇哦。"我说。我大概猜出她和男人的关系，并且觉得多问太不礼貌，突然自顾自地说了一句。

她瞬间停住，又大力咀嚼，眼睛里有水汽蒸腾出来，要哭的样子，在眼泪快要流出来的时候，她飞快地端起红酒杯，大口灌下。

我默默地吃着，显得淡定。

那男人起身走了，看样子并没有吃饭。

吃饭，真是个奇妙的存在，之于情侣，大概这些都是不能缺少的日常，用来展现彼此的口味、趣味点甚至人生态度。他身材很好，脊背挺直，并没有回头看丁汐禾。

丁汐禾显然注意到了，装作不动声色，但她明明很在意，到门口风铃响起，门应声关上的时候，她的眼睛闭了一下，像那声音无比大，足以震动耳鼓。

在南熙路我像一个局外人，在这个餐厅，我也像。谁让我如此平凡，又拥有一个秘密。后半程我们俩都没有说话，像极了有一次陈悟失恋，他叫我去打球，我们俩在羽毛球场沉默用力地挥拍，大汗淋漓，整晚一句话都没说。

丁汐禾应该是失恋了，我想。

大概我这样一个局外人，好巧不巧地成了这一切的旁观者，我应该感谢丁汐禾，毕竟她没有对着那男人泼水，那样才真是不好收场。

"好了，我吃饱了。"丁汐禾情绪似乎好了一些，声音没有高音。

"我也是。"我点头说。

"对不起，在你眼里，我是不是很像个神经病？"丁汐禾说。

"没有，不算离谱……好像还很合理。"我认真回答。这一天的经历，真是峰回路转，尤其是对于日常贫乏的我。

"很烂俗的剧情，下一幕我们是不是应该互相表达好感了？"丁汐禾坏模坏样地开玩笑。

"那要看外边是不是下了雪。"我竟然这样回答，望向窗外。

丁汐禾回过头去向Kevin挥手示意埋单，他撅着屁股应声过来，脸上带着职业的笑："徐先生已经埋过单了。"

"王八蛋，谁他妈的需要他埋单。"丁汐禾气坏了，鼓起嘴巴。

走出bota的时候，已经八点多，空气有点冷。大概是喝了酒，丁汐禾脸红扑扑的。"一起走走吧。"她说。

她身体靠近我。

我说好的。

南熙路上情侣很多，有的还拿着夸张的氢气球。我们两个缩着脖子，显得垂头丧气，也许是又要下雪了，空气变得又湿又凉。丁汐禾突然问我："你为什么没问我为什么之类的？作为救命恩人。"

"呃，你愿意说的话，应该会告诉我吧，而且，我算什么救命恩人。"我坦白地说，毕竟我们不熟，更何况，这些理由，对我来说也毫无用处，我想起了晚上的药丸，心里突然有一丝烦闷。

"他是我前男友。"丁汐禾缓缓地说。

"嗯，我知道。"

"你还真是个奇怪的男孩。"丁汐禾伸长脖子看向我，"不过我们的故事也没那么狗血，不讲也罢。"

"所以喷的也是他的车喽？"我明知故问，这线索如此明显，而且，男人没有发怒，算是有涵养了。我脑海中有男人到车库看到自己车上涂鸦的表情，大概愤怒了十五秒，而后好修养帮助了他。他停止发怒，今晚到他们之前来的餐厅，不知是刻意来找她还是偶遇。

"我呢，也觉得这样做有点幼稚，总得有个结束的理由吧。"她张开双臂，像要迎向天空。

我的表情应该非常无辜，用陈悟的话说，我的日常表情，用文字表达，就是"不是我干的"，大概这样的吧。

"我觉得我们应该接着喝点儿，刚才不算严格意义上的我请你，那男的请的不算。"她突然来了精神，拉着我快步向前，"而且，这次我们不去那种高级又难吃的餐厅了。"

她这样评价自己选的餐厅，真是有自省的能力，我想着刚才火腿在牙齿上形成的奇怪质感。

我竟然没有拒绝她，左拐右拐钻进了南熙路的巷子。

天空开始飘落一些雪花，有人发出"哇"的惊叹声，若有任何一种非正常天气被人喜爱，那一定是雪天。

也不知道为什么下雪就是浪漫。我想。

丁汐禾突然说："下雪就很浪漫吗？真是奇怪。"

我为我们的同步感到高兴，心中有些释然。她又惊呼说"到了"，指向"炭出烧烤屋"的木招牌。

在闹市里，遮蔽着日常生活的人家，炭出像是被一家人的房间改造而成，除了招牌很有艺术感，门面并不打眼，很容易错过。拍掉肩头的雪，撩开棉布门帘进去，里边光线昏暗温暖。人挤挤挨挨，坐在矮凳子上，喝着扎啤之类的，有人在抽烟，大声谈笑，店员手持托盘，在矮坐的人头上穿行，觉得扦子随时会插在他们的头上。

好在，大家都不以为意，沉浸在这样一个时空中，隔绝室外的冬天和大城市的干冷。

丁汐禾点了大杯的扎啤，又拿了一大杯给我，我想说，我要开车啊。她却先说话了，坚定得很："明天再开。"

女人真是奇怪的生物，我不懂她们，她们发号施令，却让人不忍拒绝，尤其我要陪伴丁汐禾这样的失恋者，我也不知道为什么会用陪伴这样的字眼。

我们开始喝酒，吃鸡胗或者肉串什么的。丁汐禾大口喝着啤酒，心满意足的样子，她说："我酒量特大，大学毕业的时候，我们班男同学，全被我一个人灌趴下，但我平时又没有办法喝酒，你知道，作为一个公安干警。"

"喂，公安干警？"我笑了，觉得她真是三分钟就可以换一个新鲜的职业，不过，哪个警察会称呼自己是公安干警的？

"所以，川成，你开的车穿的大衣都不是你的，你脚上的白球鞋，右侧鞋跟处有一块新的摩擦痕迹，非常新，大概是你第一天开这辆车，其次，你大衣上的香水味儿和你车上的香水味儿是一样的。"她笑着冲着我说，手比成手枪的形状，"所以应该是你开了别人的车和穿了别人的大衣，是不是你图财害命，你的后备厢里是不是有尸体？"

旁边的年轻人跟着她的手指看向我，一副不可思议但又非常认同这个逻辑的样子。

我脑海中，竟然有陈悟被我关在后备厢里的画面，不禁笑了一下。

"对啊，你多笑一下，笑起来挺好看的。"丁汐禾伸手搔乱我的头发，遗憾的是，或许是酒精麻痹了我的神经，我竟然没有躲开。

她大概具有一种让人产生亲切感的能力，像带着代币去宠物店洗澡，店员看着它，它立刻变得乖巧，等我再去接的时候，它干脆露出肚皮给店员，状态像很享受。店员说，它很乖耶。

我很乖的……哦……我不争气地没有拒绝丁汐禾，甚至在初识的晚上跟她喝酒，雪天里我竟看到那颗被叫作长庚的星星，它一定起着微妙作用。坐在对面的丁汐禾声音沙哑，高音被抽掉，偶尔发出奇怪的笑声。

我们喝了四大杯，或者更多。

她真像一个可以驯服宠物的宠物店员，而我像代币一样，乖乖地露出肚皮，眼神伺机而动，等她一声令下。

"林川成啊，你今天真的有点反常。"我代表陈悟鄙视了我自己一下，又对脑海中的他嗤之以鼻。

"你管我，我就不能过平常年轻人的日子吗？"像他们一样，需要刺激，没有负担，反正精力无限，只管酒精入肚，天亮方休，到明天又是一条好汉。

丁汐禾手舞足蹈，目光空洞，她指着我："你们男人，真是没劲！没担当！最勇敢的时候，是追一个女人的时候，是不是？"

我说："不知道，我没有这方面的存储。"

她捂住嘴巴，非常吃惊："天哪，我遭遇了一个处男。"

我指指自己的脑袋，酒精和氛围的协同作用，像她可以袒露心事给我一样，我突然也想跟她说些什么，但我脑中空空如也，除了一个秘密。

我说："是啊，非常干净。"然后我笑了一下。说的是实话。一是也许之后不会再见面，二是明天我反正会彻底忘掉这些，根本没有必要瞒她，酒精让我的身体轻飘飘的，像要飞向雪夜里的某处。

她双手托着啤酒杯。"好吧，"她说，"作为医生，我告诉你，川成，爱情是这根手指，基本上没有作用。"她跷起小指，将它伸在我俩中间的空中，"没有主要作用，只起到辅助效果，跟个装饰一样。"

我竖起自己的小指，仔细端详，再把指头用其余四指捏紧，像小指被其余四指擒获，醉意上头。"确实没用哦。"我低声说。

"有用！"丁汐禾大声说，"抠鼻子啊，掏耳朵啊，用这个。跟爱情功能差不多，止痒。"

我当她是醉话，觉得无法劝解，我没有劝说别人的经验，更何况失恋的女孩子。

"每天，这个城市里大概都有很多一样的人吧，我有时候会这么想。"我认真地说，心里话是，每个人都缺爱，害怕被放弃，永远得不到最想要的东西，不快乐大概就是因为这些吧。

"是哦。"丁汐禾目光有些迷离，"其实还不都是大多数人，所以很开心认识你。"

我和她碰杯，内心有些失落，我们算认识了吗？她会不会变成一个陌生人？

丁汐禾手心张开，微醉地看着我："你看！"

是那粒被她揪掉的牛角扣子，仔细看，它带着木质的纹理，有花纹盘旋而上，最终在扣子的顶端会合。她什么时候拿的，我全然不知。

她从包里翻找，终于找到一条皮绳，把扣子穿进去，再用力打一个结，变成项链的形状。她用手撑开，看着扣子，傻笑着，示意我的脖子伸过去。

"赶紧着，别废话！"她催我。

我满腹狐疑，把脑袋伸过去。她把扣子项链直接套在我的脖子上，再拍我的肩膀，说："傻乎乎的，林川成，我认你这个朋友。"

她脖子有点泛红，身上散发着淡淡的皂香。我脸红了，觉得这有点突兀，以及，这是陈悟的扣子啊。

"你归我了！用给你起个名儿吗？"她用手轻轻点了一下扣

子，端起啤酒杯，眼神迷离。

我不知道这算什么，但将一个几乎陌生人的扣子做成项链，还用来跑马圈地，这个女人，真是有点疯。

"你大爷。"隔壁桌上的女孩突然拍案而起，震得啤酒杯叮当乱响，将对面的男人吓了一跳，应该是情侣之间闹别扭。男人显得有点尴尬，呆坐在桌前，见我们看过去，立刻一脸满不在乎。

女孩冲出店门，立刻将寒气放入餐厅，我不禁打了个寒战，丁汐禾怒视着男人说："喂，还不快追出去！你让她一个人跑啊。"

"我……"男人表情非常无辜。

"赶紧着。"丁汐禾把啤酒杯咣当放在桌上，眼睛瞪大。

作为同伙的我，觉得大概有强度超过十吨的尴尬，完全不知如何应对。"女人怎么错，都是男人道歉，赶紧追！"

男人被丁汐禾催得站起，结账出门，找寻女友去了。

丁汐禾说："看起来非常强壮，其实都是幼稚boy。对吧，小孩儿。"她伸手想搔我的头发，被我躲开，然后她咣当一声，头趴在了桌子上。嘴里仍在喃喃自语，"我很能喝的，我告诉你……"

她毫无征兆地醉了。

"喂，你不是喝倒过你们班的男同学吗？"我用手轻轻推她的肩膀，她没有任何反应。

所以，永远不要相信一个失恋的女人，她们真是谎话连篇。

9.

下雪的天气，我背着丁汐禾走在南熙路上。如果我没记错的话，如她描述，这是我两天内第二次背她。

所以，我真是个幸运的陪她度过失恋前两天的人？我这样想着，又看向临街的橱窗，里边的我满面通红，竟然带着笑。幸运？为什么我要用这样的词。

不能再让这个女人碰酒，今晚，我应该会在本子上记下这个，这个叫作丁汐禾的女人，职业、年龄不明，性格外向刚猛，长得漂亮，不算太瘦，但对于喝酒这件事，我不敢恭维。

"你怎么可以随便就喝醉啊。"我尽可能让她往上颠了一下，这样我和她都更舒服一点。

"因为是你啊，林川成，开过山车的小孩儿。"她被颠醒了，在我肩头低声说话。

又像自己对自己说："很多原来说过的话，最后都会变成难堪的证据啊。"她所答非所问，声音极低，但仍可分辨。

"喂，你家在哪里？"我很珍惜她此刻的清醒，想，还是赶紧送她回去吧。

"其实，大可不必，我唯一觉得难过的是，为什么所谓恋人，头一天还可以在一起，第二天就能成……陌生人。"她自顾自地说着。

"我们昨天刚刚分开，所以你现在可以理解我昨天为什么那样了。"她咻咻地笑了一下。

哪样？我尽力搜索记忆，显然这毫无用处。

然后她说："放我下来吧，今天不能再骗你了。"

"哪有……"我这样说，像是推辞，可又觉得分外不妥。

我放下她，她站在雪里微微晃动，仰起脸接那些雪花，手臂再张开，像拥抱整个黑夜。

"瞬间就清醒了。"她说，她睁大眼睛看着我，"好啦，也算发完疯了，我保证，之后绝不会再出类似问题。"她伸出中间三根手指，做发誓状。我看到她的小指，它真的无用吗？

"我送你回去吧。"我说，像这样的天气，叫车应该很难。

"不用了，我坐地铁就好了。"她向我挥手，"就此别过吧，谢谢你啊，川成。"她转身跑向地铁站的入口，并没有给我挽留的时间，当要走向扶梯的时候，她冲我喊，"我到家会给你发短信的，非智能机先生。"

然后，她消失在下行电梯的入口处。

我向她挥手，心里突然觉得失落，丁汐禾，职业莫测，声音被抽去高音，和我有奇怪的熟悉，又有超乎寻常的亲近感，可即便如此，于我来说仍是个奇怪的存在。她总是神奇出现，又神奇消失，而我竟对此毫无招架之力，我为什么说"仍"？

在雪里发了一下呆，我走进南熙路地铁站，再转七号线回家。

走出地铁，雪下得更大。有中年人从我身后快速超过，又大声唱歌，声音洪亮有力，他看了一眼我，但也并不在意，雪簇簇地落下来，打在他黑色的风衣上。他应该喝了酒，公文包开着一个搭扣，走路有一点踉跄。

我自作多情地想，他也许年轻时候想当一个歌唱家吧。只是在这酒后的无人雪夜里，才敢大声唱出来，只是世界不停转动，并没有神来之笔。

回到家里，觉得很累，代币走过来，嗅我的脚，我必须要带它到花园里走走。

雪落在地上迅速消失，天气还没有变得更冷。我打开手机看了两次，以确定丁汐禾的短信有没有发过来，她住在哪里，到底到家了吗？

代币抬头看我，偶尔又张开嘴巴试图咬住雪花。我想，它内心一定是个孤独却能自得其乐的家伙，像我一样。

短信终于响起，是丁汐禾，她说："已经到家，准备拥着棉被好好睡觉。鉴于今天我自己的英勇表现，对我自己的奖赏便是——不洗澡，直接睡！"她的文字像她这个人一样充满生命力，我不禁要被她逗笑了，却又觉得不知怎么回复，犹豫再三，我说：好好休息吧。

我对自己的表现并不满意，这更像一个结束语，简直是暗示对方我已疲倦，请你闭嘴。即便我没有跟女人打交道的经验，选"啊？什么！""批准！""还是卸妆为好，不然明天会变成熊猫"中的任何一个，都比这句更加有趣。有来有往，才是交往，我想。

交往……我为这句感到脸红。

丁汐禾的脸浮现在脑海里，眼神坚定又明亮，看起来从不缺少主见。我的秘密可以帮助我仔细看她，任由我缩小放大，到任何细节。她的脸颊微红，像涂了色号很重的胭脂，嘴巴的唇色早因为喝酒褪尽了，显得眼睛和睫毛格外清晰，她在风中站着，头发在夜风里微微摆动，眼神迷离。

她没有再回我，或者真的听话地去休息了，她大概需要好好睡一觉，我想。

遛狗回来，我冲了个热水澡，浴室里迅速被雾气充满。我用手抹开镜子，上边显现出我的脸，大概此时，丁汐禾应该能睡个好觉了。她到底是做什么的呢？

我裹紧浴袍，到写字台那里摊开本子，思考要记下今天发生的什么，又觉得无法下笔。

最后我写道：今天认识了叫丁汐禾的女人，喜欢吃梅子糖，还不知道她做什么职业，她刚刚失恋，容易喝醉，并不太重，她帮我做了一条牛角项链，如果再有机会喝酒，一定不能再让她喝醉，不然又得背着。

我想起，她在我背上喃喃自语的样子。

另起一行，我又写：有时候，人会觉得自己一无所有。这是我此刻的感觉。

之后，我吞下一颗药。

我看着手机发呆，屏幕没有再亮起来，通信录里有三个电话：妈妈、陈悟和新增的她，然后我睡着了。

头疼欲裂，药物开始发挥作用，它们从左边的太阳穴开始，兢兢业业，绝不漏过细节，像铲车开始推动积雪。

我没有"想念"这种情感，不知道该沮丧还是庆幸。

我的秘密是每天我都要吃一粒药丸，清除掉当天的记忆，然后次日让我的世界恢复原状，变成一个无比轻快的年轻人。

但这个早上显然不同以往，闹钟响的时候我粗暴地按掉了它，还是用脚，这太不像我。再自然醒的时候已经过了九点半，我迟到了。

每个月都能拿到全勤奖的旋转动力部优秀三级员工林川成，竟然破了自己的纪录，迟到了！我在被窝里想了一分钟，觉得匪夷所思，空气中弥散着一些酒味，大概是我昨天喝了酒，代币早就醒来，呆呆地坐在床前看着我，可我为什么喝酒呢？

"我昨天喝酒了吗？代币！"

代币向上翻起眼睛，发出低吟般的声音。我坐起来，发现陈悟的大衣，大概是这孙子昨天又失恋了？

这样想着，只好迅速起来，拉着代币到花园尿尿。它大概少见如此急匆匆的我，也累得气喘吁吁。

直到地铁里，才有机会喘口气，时间已经过了早高峰。年轻人并不太多，他们耳朵里戴着耳塞，有的则拿着电子书，以此与整个车厢划清界限。我百无聊赖，只盼着早点到达八角游乐场站点，再冲进去打卡赶紧到岗，迟到是难堪的事，尤其还要面对啰唆的靳山。

下意识地摸到手机拿出来看，发现有三十九条未读短信。

全部来自一个叫作丁汐禾的名字。

10.

第一条未读短信，时间显示是深夜两点钟。

"实在不能忍受自己不卸妆，还是起来洗了澡，又吹干头发，就到了这个时间，酒完全醒了。觉得今天一天太荒唐了。"

"可能和你不那么熟，反而可以尽可能地荒唐，我也不知道为什么，直觉告诉我，即便当着你荒唐，你也不会怪我。"

02：10

"还是没办法睡着，知道你肯定睡了，但也不知道说给谁听，你不回反而让我觉得安心。"

02：31

"早上，决定要做点什么，报复他一下，心里其实害怕死了，幸亏遇到你。本来想，喷完再上他公司去一下的，幸亏遇到你，没有出更大的丑。你不是说吗，若无其事才是更好的复仇。现在想想，我很幼稚，但不这么干，好像心有不甘。"

02：35

"自顾自讲自己的话，大概有点傻。哈哈。林川成，你也只好忍着我。"

02：37

"我和他认识在夜跑的时候。我们那个夜跑队大概三五十人，最开始的时候人很多，后来好多人都不来了，他一直在，他不怎么参与聊天，永远第一个到，第一个离开，我就对他很好奇，尤其他年纪比我们都大一些。"

02：41

"小时候的我很自卑，大概这自卑持续到青春期。他们觉得我长得有点怪，叫我河豚，这个笑话持续到高中毕业，我倾尽全力考出原来的生活圈子，不再被人叫河豚了。"

02：43

"第一个男朋友撩开我的头发吻我，我没告诉他这是我的第一次，睁大眼睛看着他鼻尖越来越近。他笑出声来，说：'你下巴有点方。'"

02：50

"他是我的大学同学，个子高，人很强势，因为优秀吧，或者自认为优秀，体育很好，演讲也很厉害，还组着乐队。他怎么看上我的我不知道，我只是看他们演出而已，他说，就是发现了我呗，觉得我脸虽然有点方，但眼睛干净好看。"

02：53

"那时候不懂什么爱情，觉得有人如果长得不错，又很喜欢我，能给背个包就是被爱了。很多女孩子都这样，算是小时候不被宠爱的补偿，所以我后来都跟她们说，喂，不是所有爱你的你都必须爱回去。但后来不再说了，觉得女孩们都蠢，信一些温暖的废话和屁话，可这些都不在真相范畴。"

02：55

"我觉得他足够爱我了，其实也没有人爱过我，无从比较。我对他言听计从，因为显然我也没有什么违抗的，对于有过河豚经验的我来说，这种感觉，像一个贫穷的人突然得到巨额财产。我想我肯定会被放弃的，像一旦主动投入，就立刻开始被诅咒会被放弃的命运。"

03：01

"每一次见他我都这么想，觉得需要证明，为什么我可以得到如此好的，他为什么会喜欢我，他应该放弃我啊，似乎这样才顺理成章。我开始留头发，遮住自己有点方的脸颊，还有，变得更加言听计从吧，我以为这样能得到他更多的爱。"

03：04

"后来我发现他跟我疏远了，不怎么见我，有一天他说我们分手吧，他说他受不了了，觉得被我绑住了无法呼吸。分手当晚，我在校园操场流眼泪，就看他骑着单车带着别的姑娘出校门。"

03：06

"当天不能再糟了，眼泪正流着，碰到了之前的高中同学，他大声叫我河豚。整个宿舍的女生都听到了，笑声格外大。"

03：14

"这算是青春期的正式终结，我像河豚一样，在后两年的大学生活里变胖发臭，没有恋爱。"

03：15

地铁到站，丁汐禾是谁？为什么会给我发这么多短信？我几乎要被这个故事打动，觉得自己要跟着她发胖发臭，同样在大学里躲开众人的日子，只不过我是刻意而为。

我急步跑到游乐场，再打卡进门。我想这样的我并不多见，靳山简直要为我鼓掌了。

"真是活久了什么都能见到啊，川成，没想到你也有迟到的时候。"他正躲在吸烟处吸烟，看到我迟到又急匆匆地冲进来，像被激励了一样。

我无暇理他，短信故事让我心潮起伏，即便此刻我并不认识丁汐禾，也像熟悉了她一般，要随她自卑如河豚般度日。我很想知道，后来的她怎样了，更何况，夜跑认识的男人，她只讲了一个开头。

我冲进驾驶舱，继续往下读。

非周末的日子并不太忙，确切地说，是没有客人。我关上驾驶舱的门，下巴放在水杯上，一条条继续往下看。我想，她大概度过了难眠的一夜，那些关于河豚的记忆，并不难理解。我想起我的那个被我们称为蝙蝠的女同学，她有尖尖的牙齿，肌肤惨白，连眼角都是红色的。少年们的伤害固然因为无知，但也因此尤为凛冽。

"终于毕业了，我想大概可以择日再战。头两年我都在减肥，让脸变得小一点，我学会化妆，比如侧面如何修饰，显得脸不那么方，以免河豚这个绰号死而复生。"

03：20

"我不想恋爱，觉得不必非得喜欢一个人，或者被一个人喜欢，这是两件事，都不是恋爱。很多女孩不知道，但我其实知道，女孩子被人爱，除了感觉幸福之外，好像还在试图证明自身的价值，用别人来验证自己是不是有价值，这件事儿太傻了。"

03：24

"直到刚才说的那个夜跑男人出现，他对我不冷不热的，但又关注着我，我能感受得到。那是一种直觉，羚羊被豹子盯上的直觉。"

03：26

"到有一天，他突然走过来，说，一起跑跑吧。我能感觉，那是豹子向羚羊发起总攻的时候，我喜欢他，我觉得他也喜欢我。我没有掉队，咬他咬得死死的，他显然是要试探我，看我什么时候求饶，到八公里的时候我是想求饶的。"

03：30

"但我没有。我不能输，我想要的爱情就是彼此喜欢，势均力敌。"

03：31

"最后我们两个几乎同时停下来，我觉得要虚脱了，他拉了我的手，我们一下子变得很熟悉，第二天开始约会。我觉得，这也许是我想要的爱情，不分彼此，没有尊卑。"

03：35

我几乎要被这个故事打动了，这跟我观察的生活不同，当然，我可能永远无法见证这样迅速的、一刹那就可以开始的爱吧。

"就可以不问姓名，不知年龄，没有来由，突然之间，就爱上了。我觉得很多人可能理解不了，爱情其实是错觉，你对自己、对他人非常自以为是的错觉。"

03：45

丁汐禾，一个奇怪的女人，于我现在看来也是。我脑中没有她的形象，可不知道为何，这些描述让我觉得有一种痛惜，像看到一只猫的自述，像世界根本从没在意过它，可它其实，有无数的想法。

丁汐禾和我发生了什么？为什么她会选择一夜之间给我发三十九条短信？

带着疑问，继续往下读。我想，她跟夜跑男人的故事，应该会有一个节点，她却话锋一转，竟然提到了我。

"所以，川成，我得向你道歉，编了那么多职业给你，还装醉让你背我，之后不会再喝多了。"

03：50

"我其实有恐高症，没有坐过山车，但分手那天，我想，我得干点之前没干过的事儿。走着走着，发现自己迷路了，然后就到了你在的那个游乐场。"

03：55

"所以我说补偿心理，一个人小时候的空缺，长大了怎么补也补不上。我记得三年级的时候，有次班里组织去游乐场，只有我妈不同意，老师说你不去吗？我说不去，我不喜欢去游乐场，很酷的样子，后来他们大巴车开走的时候我就在教室哭。我也不知我妈为什么不同意，明明只要三块钱。"

03：57

"后来我发誓说，要挣钱，主要是为了让自己完成自己想做的事。当然，过山车那天还是第一次坐，吓死人，但也觉得不过如此。当时我很想让你更坚定地拦我，结果你却放弃了。"

04：05

我想着她噼里啪啦地打着字，偶尔情绪激动。她以为酒醒了，显然，酒精在持续发挥作用，她在黑暗里看着手机抹眼泪，想起了小时候的空乏，还有那天在游乐场无人陪伴的恐慌。

我当天为什么放弃了阻拦她？

"我以为对他没有索求，我们固定每周三见面。他大概要错开很多邀约，力保这一天可以跟我一起跑步，到精疲力竭，再接吻，做爱，到精疲力竭。我以为我可以不问他到底是谁，做什么工作，在夜跑的晚上，我们只穿运动服，看不出职业、身份，你知道吗？若不经修饰的话，连年龄都很难分辨。我觉得这没必要，我不是那种必须得到保证的姑娘，她们不知道爱是一种需求，我知道，可我明明只谈过一次恋爱，最终，我们还是得面对彼此的生活，我才发现势均力敌只是我的错觉。我只让他保证，在这个时段内，他只能爱我一个人。"

04：09

游客来了，我不得不停下听丁汐禾的倾诉，过山车发出刺耳的启动声，再完成一次重复和恢复原状。我盯着过山车发呆，像此刻坐在丁汐禾的身边，她把头发吹干，单手拿着电话，膝盖上有厚的毯子，窗外是寂静的环路。她也许流了眼泪，她的描述有某种文学性，像在黑暗中的海水，逐渐淹没我。可明明，我又觉得她本不该如此，她应该明亮、跋扈，像那些在过山车上尖叫、被男生照顾的普通女孩一样。

每个人都与我们的想象大相径庭，我之前这样总结过。

11.

每个相遇都很珍贵，每个遭遇又让你我变成现在的你我，而像我这样需要主动擦拭掉记忆的人，并没有这样的机会。

手机微微发烫，雪后的太阳透过过山车照过来，驾驶盘上显现出它骨架的形状。

我第一次为没有昨天感到苦恼，甚至一并地，我也为没有前天感到苦恼，在知道我的脑袋是被充水的气球之后，第一次苦恼如此明确。我试着理解陌生女人丁汐禾，并试图用她的短信探求故事的前半段，像解开拥有一个答案却要知道题目的数学题，但现在我只有这些短信。

靳山坐在休息椅上晒太阳，偶尔看我一下，又自言自语说："你小子，今天怎么了？"我本无暇顾及他，却又强迫自己从丁汐禾的短信回到现实世界当中来，以免无法脱身。

看着靳山，我想，大概每个人内心都是小孩子吧，即便他超过一米八五，脸上也仍有"我讨厌上学"的表情，像我在地铁里遇到的很多个，像那个在雪夜里唱歌的中年人，都似无辜地被时间推着，变成一个必须拥有职业、谈吐成熟的成年人。大概这世界上满地少年，又均不自知吧。

我继续读丁汐禾发来的短信，心跳超过正常速度。

"那天我在逛街，发现他和另外的女人一起，那女人大概与他同龄，但保养得当的样子。"

04: 11

"我非常难过，我发了短信给他，说我看到他了。"

04: 13

"他看了短信，竟然毫无表现，没有惊慌，这让我觉得难过。或者，在他的年纪，这些都习以为常。"

04: 15

"于是我走过去和他打招呼，他温和地介绍了我，以工作的身份，面不改色，女人还和我亲切地握手，手很软。"

04: 16

"如果按照我们刚刚开始的逻辑，这并不值得我生气。我们初识更像彼此的需要和渴求，但爱比性更多的部分，是你除了需要他的身体，还需要他的理解，这让我们的关系产生变化。"

04: 19

"我们增加了见面的时间，除了夜跑，我们也吃饭，看电影，做很多普通情侣都做的事情，甚至我们打算租一个公寓，而不是每次都在酒店里。我变得不自然，因为我必须承担，除了夜跑之外他更多的身份。我才发现，我们一点都不势均力敌。"

04：25

"我除了他，一无所有，他除了我，还有一切，这大概是时间造成的没法弥补的差距。他有爱人，有家，甚至有个三岁的女儿，我一下子变成了第三者。但我没有告诉他，我讨厌这个身份，我假装乐在其中，并试图不提要求，以便和他的相处变得轻快，直到真的遇到他和那个女人在一起。"

04：30

"我对自己非常失望，就像面对美好的糕点吧，我无法原谅自己的贪吃，又不得不吃下去，明明知道这样会发胖、变丑、血糖增高，但仍无法拒绝。"

04：31

我不能理解丁汐禾，我很少对一件事情发狂，比如彻夜等待一部手机上市、在餐厅排队，或者像陈悟那样，必须要抢先穿到一款衣服的第一件。在我看来，都是这世界滑稽的存在，被食物、事物、爱人勒索，都对人生构成威胁，很难恢复如常，这绝不可以。

　　"了解让我变得虚假，自卑又回来了。我每天看着自己，像看到被叫作河豚的那个女孩，我花掉所有存款，买高跟鞋、合适的大衣，租名牌的包包，注意保护手，涂护手霜，可还是很生硬的感觉。"

　　04：35

　　"我帮他熨衣服，趁他还没醒的时候。他起来了，温柔地抱住我，然后看我熨的衣服，他说，你大可不必这么做，而且你的熨法不对。"

　　04：37

　　"我停下手里的动作，不争气地哭了，他肯定觉得我特别不可理喻，但也没有劝慰我，中年人对小女孩的那一套大概烂熟于心，可也疲于应付。他穿好衣服说，我走了。然后关门走了。我照了下镜子，觉得自己哭得很难看，像河豚一样的表情。穿上衣服出门，电梯里有人看我，大概觉得酒店里像我这样的女孩，又哭过，势必引人注目吧。"

　　04：39

"我以为他会发短信给我，至少让我觉得这件事儿过去了，但是他什么都没有做，我也没有再发短信给他。我回忆了他的穿着，突然痛恨他衣服的每一个被细致熨烫过的折痕，这真是文艺得不像话，可这显然是他做出的选择。"

04：41

"我说，我们分开吧，他回好的。他大概当我是个与别人不同的女孩，但我显然也让他失望了。"

时间是凌晨四点四十五分，丁汐禾，给我发来的最后一条短信。

我向下翻页，但什么都没有出现。我捏捏眉心，运动下肩膀，试图在她平静的讲述中，理出一个脉络来，这超出了我的人生经验。拜记忆力所赐，她的字句都印在我的脑中，并不需要再看一遍。

可在我看来，这就是"我仍记得你"的意思，所以我在何种情境之下，对丁汐禾说："若无其事才是更好的复仇？"其实，根本没有复仇这件事，才是最好的复仇吧。

电话突然响起，我吓了一跳。是陈悟，他问我："镇定剂，我的车呢？"

"车？什么车？"我被问蒙了。

"我的车啊，昨天拜托你去开我的车，你停哪里了？钥匙也没给我。"陈悟笑了一下，大概觉得逼问一个没有昨天的人，有点荒唐。

但我的昨天，包括这个丁汐禾，都随着我的药片不见了，现在还包括陈悟的车，我把他的车停在哪里了？

"你等我想想。"我说，当然，这毫无意义。

"对了，我今晚，还有件事儿要和你好好商量，先不说了，你……确定你能想得起来吗？"挂电话之前，陈悟坏笑着问了一句。

我确定，我想不起来，看来，势必要再和丁汐禾取得联系。

12.

我是一个必须保持镇定的年轻人，我有一个秘密。

这秘密断然不能让丁汐禾知晓，我这么想的时候，时间已经距离陈悟的电话过去了两个小时。他的车在哪里我一点印象都没有，倒是车钥匙就在大衣兜里，而如何联系丁汐禾，似乎是我现在必须处理的难题。

过目难忘，从来都只是我的负担，比如，如果我不每天吃那颗药丸，我可以清晰地记得昨天车存放时并排的所有车的颜色、型号、车牌号码，便于你理解的话，那应该像是一个VR影像，可以任由我放大缩小，移动观看的角度，并如同进入那个立体的时空当中。

"喂，我的车放哪里了，我忘了。"这显然是一个猪一般的问句。

"汐禾吗？我今晚请你吃饭吧，老地方见。"这样呢？我叫她汐禾可以吗？"最后，我想问下……老地方在哪儿啊？"这是不是也是一种白痴的处理方式？

　　几拨游客相继过来，靳山收起不想上学的表情，重复说着"大家线外等候"的话，有时候冲我挤挤眼睛。他手里攥着手机，抽空就拿出来看，这不符合规定，但我必须原谅他，不然他又冲过来挤对我，何况，我今天也一直盯着手机看啊看。他说："你今天诡异了，而且小手机有什么可看的？"

　　他之前常常就此惊叹："欸？没有这么多App的非智能机时代，我们是怎么度过这些时间的？"然后他会转向我，"就是活化石啊你，川成。"

　　他看手机里的八卦、新闻，有时看视频，而这些对我无可无不可，通过短信联系，于他肯定是不可理解的事。

　　"喂，这个好。"靳山跑过来，拿手机给我看，那是个叫作"罕见景象"的视频。画面里，巨鲸翻越被北极光照耀的海面，北极光呈现出一种无法合成的绿色，巨鲸发出巨大声响，将身体在水面舒展开来。

　　"你不是只爱女星照片吗？"我搜索便笺纸上关于靳山的特征，回应了一下。

　　"其实，说出来不怕你笑话，我的理想是环球旅行。"靳山搔搔头发，并不介意我误会他。

　　一个人对另一个人的误解，就像一个人对另一个人的好感与想象一样毫无根据，像我认为靳山没有理想、只谈立刻见效的恋爱、对工作和世界都没有责任心，真是武断又蛮横。

　　我百无聊赖地翻着手机，第一次觉得它功能过于简单，以至于我没有什么可读，下意识地进入短信栏，突然看到最前边的一条短信，时间是昨天下午两点三十分。

　　这是我何时发给丁汐禾的？"尊敬的丁汐禾小姐，很高兴认识你，今晚六点约你在南熙路bota西班牙餐厅见面。"

　　我跟靳山拜托请假，再偷偷绕出游乐场，时间已近黄昏，脑中回响着靳山的唠叨，他竟然乐得我能旷一会儿工。他说："看到一直特别平常的人超出常规，真是觉得生命还有希望啊。"

　　他真是个名不副实的怪家伙，更何况，他还有环球旅行的愿望。

　　我转地铁到南熙路。我想，陈悟的车应该就停在这里，而我也好奇，我和丁汐禾约会的地方，到底是什么样子的？

　　地铁上人不多，对面小女孩大概三岁，背着明黄色的小书包，梳着两条细弱可爱的小辫子。她好奇地看着我，又仰起头和她妈妈互动，妈妈大概有心事，手无意识地揪着她的头发。我想起四岁时，母亲带着我的场景，大概与此情况雷同。我穿蓝色海军衫，价值34元，妈妈当日抚摸我的头，地铁刚好穿出地面，阳光斜照进来，打在妈妈棕色的小提包上。

　　在我需要每天清洗记忆之后，这些东西我并不常想起，而此时，我突然回忆起妈妈身上的味道，竟然流下了眼泪。女孩儿注意到我，但其他人盯着窗外或者手机，毫不在意。

　　我用手背把泪擦掉，跟女孩做了一个鬼脸。她立刻害羞了，把头藏进妈妈的臂弯里，只留两条小辫子在外边，又突然回过头来，向我吐了吐舌头，笑了。

　　我被这笑容打动，记忆是个很好的东西，而我竟然需要每天擦除它们，逐渐变得孤独冰冷，甚至因此认为，一切并不必须。

　　我低下头，看到胸前坠着的牛角扣，我早上什么时候就这么自然地戴上了这条怪模样的项链？

　　走出地铁站，立刻被庞杂的人群裹挟。我能听到所有人的呼吸、脚步声、皮包与大衣摩擦的声音，人们携带着地铁里的温度，再用大衣将它们抖散在空中，街对面咖啡馆传来的甜香，黄昏时分街灯亮起后与霓虹辉映出暧昧的光亮。但这些都不是我的，并不需要印象深刻，因为我必须要在得到它们的时候失去它们。

　　我出现了一种类似恼恨的情绪，为什么是我？但这个追问没有答案。

　　我决定给丁汐禾发条短信，算作我对于她三十九条的回应。"我来bota取车，昨天喝太多，忘了放在哪里了。"我故作轻松地说，以便显得平常。短信发出"倏"的一声响，这句话似乎迅速消失在茫茫人海当中。

　　可丁汐禾，在哪里呢？

手机振动了一下："小孩儿，站着别动，我三分钟就到。"

哦，是丁汐禾。

13.

我必须尽快找到bota餐厅，为自己争取更多的时间，以免露出破绽。而丁汐禾真的要来吗？我又如何跟她相认，这问题让我焦躁不堪。因为走得太急，身体竟微微出汗，这也不是日常的我，我一贯从容淡定，从不给自己被时间勒索的机会。

而现在的三分钟，竟像必须争取的胜利，固然荒唐，但也好久未曾体验。我这样想着，脑中已经开始倒计时，秒针匀速向前，发出巨大的声响，与我杂乱的脚步根本无法同步。南熙路上招牌林立，霓虹让我有点眩晕，只好停下来着急地询问保安。大概是英文名字的原因，他并没有反应过来，我说西班牙菜，虽然我对此也毫无概念，身体恨不得要冲走询问下一个有效的人，他说，向前右转。

到bota餐厅的时候，时间过去两分二十五秒。我已经上气不接下气，嗓子有些干，天色已经暗下来，约会的男女们默默地走着，偶尔发出小的嬉闹声。身旁站着一个西装革履的男子，手里捧着一大捧玫瑰，他掏出烟来抽，锃亮的打火机发出清脆的一响。他看起来平静自然，并不似那种拿起花就很拘谨的男人，又来回踱步，见我看他，温和地笑了一下。

我躲开目光，觉得自己难看又不合时宜，包括陈悟的大衣，过于浓的香水味，被汗水打湿的额前的头发。

丁汐禾在哪里呢？我竟无法认出她，而脑中，她发来的三十九条短信，又被我整篇地从头翻阅，一个小时候被叫作河豚的女孩子，她应该长什么样子呢？

手机短信的声音响起，是丁汐禾，她说："川成，你已经在我射程之内。"

有女孩快步走过，塞着耳机，口中跟着哼唱。她应该不是丁汐禾，这不像她，丁汐禾夜跑坚持十公里，而她面色惨白，不善运动的样子。另外的一个正在对着手机抚弄刘海儿，但它们显然并不听话，这也不是丁汐禾，她应该不是那种在意刘海儿的女人。

晚上六点四十五分，我在四下寻找丁汐禾，但这徒劳无功。我像一个脸盲症患者，与我要求自己保持的镇定相去甚远，手心里只攥着一把汗水和一个秘密。这让我焦灼、茫然、不知所措，我无比讨厌现在的自己，像我本可以打开一盏灯，却无法伸出自己的手。

一声小的尖叫唤醒了我。一个女孩冲我径直走过来，化了妆，穿明蓝色的高跟鞋，牛仔裤，头发染成栗色，她显得雀跃，要张开手臂扑向我。我的手臂几乎要轻轻抬起，好在身旁的男人用玫瑰的声响提醒了我，他们在我面前完成了一个完美的拥抱。

男人自然地把花递给她，用手扶住她的腰，转身走向餐厅，三步之后，他又自然地把花拿过来，像怕她不堪负重。

我站在原处，把手放回大衣兜里，默默站着显得难堪，只好发短信给丁汐禾："你在哪里啊？"我想，这简短的五个字，大概不会让她感受到我的低落情绪。

"我在这里啊。"声音被抽掉了高音，从左侧传过来，是的，丁汐禾，她终于出现了。

"你怎么着，差点把别人的女朋友给抱了啊。"她打趣我，而我正在记住她，以便日后辨认（这么说有点奇怪，隔夜就会被迫忘掉），包括此时的气温、路旁街灯的亮度、远处小吃摊上闪烁的电子菜牌也一并存储，而她是整个画面的中心。她看起来和我同龄，或者比我大一点，她皮肤很白，单眼皮，化了淡妆，鼻梁挺拔，嘴唇微厚，显得坚定，脸并不方，下巴也不是河豚的模样。她的长相不算美艳，却生动有力，让人印象深刻。

她手里端着两杯奶茶，一杯递给我："天有点冷，拿着。"她很从容，就像我们是老朋友，又或者我没有生活能力，从来都是要靠她照顾。

"走吧，找车去。"她叼着奶茶的吸管儿，转身往停车场方向走，头发垂顺，被风微微拂起。她穿得不花哨，甚至有点成熟，驼色大衣看起来质感很好，对，质感，陈悟跟我常说这个词。

我接过奶茶，觉得略显无措，即便我们有了连续三天的相见，于我来说，她也是个陌生的女人。

"你昨晚一夜没睡吗？"我问。想着三十九条短信，她的脸被手机屏幕照亮，而我睡着，那些文字如被扔进墨色的深夜里，没有声响。

"早上我睡了，然后迟到了，我从不迟到，醒来的时候已经过了十二点。所以，我今天选择了旷工，就在南熙路坐着，看人。"汐禾的声音被抽掉了高音。

"结论是——人真多。"她被自己逗笑了，我也被逗乐了，觉得确实证据确凿，无法反驳。

"那些短信，你不必在意，倒是作为一个作家，编故事还是很好的。"她对我挤挤眼睛，神采飞扬了一下，又迅速消失。我想我记住了她，这张并不算惊艳却很生动的脸，并不会有河豚的感觉啊，我想说，但我还是选择了闭嘴。

我们在车库里走了大概三圈，终于看到了陈悟的车。丁汐禾大刺刺地拉开车门说："我开吧，你开车太肉了。"

"我们去哪里？"

"带你见见世面。"她说完，果断地系上安全带。

我想起早上急匆匆看到我的笔记本，上边写道：今天认识了叫丁汐禾的女人，喜欢吃梅子糖，还不知道她做什么职业，她刚刚失恋，容易喝醉，并不太重，她帮我做了一条牛角项链，如果再有机会喝酒，一定不能再让她喝醉，不然又得背着。

我还说，我感觉自己一无所有。

现在感觉不是，我和奇怪的她一起，开车冲进南熙路的滚滚车流中。

14.

我想我应该可以记住这一切，包括车内21摄氏度的温度，车后座lv的手机壳，一双tiger的运动鞋，凌乱扔着的万宝路香烟，透明天窗外，看不到星光。

而丁汐禾目光坚定，双手握紧方向盘，在车流里挪移。她连续换了几张CD，发现都是劲爆舞曲，不禁埋怨："林川成，你是什么品位？"

我替陈悟背了黑锅，觉得她说得确实很对，只好闭嘴不说话，何况丁汐禾开车实在毫无章法，又杀伐决断，几次让我看得心惊，不禁叫出声来。

"小孩儿，你不是过山车驾驶员吗，怎么胆子那么小？"丁汐禾挑动眉毛，用力看我，我单手撑住车窗上的扶手，脚用力蹬紧："喂，你看路好不好。"我声音急切，不似往常。我很少允许自己惊慌以及一切急迫，今天真是已经将情绪超额使用。

"放心，我可是女赛车手。"丁汐禾朗声笑了一下，加大油门，车子迅速超过隔壁车道的一辆车。对方被吓了一跳，用大声的鸣笛表达愤怒。

丁汐禾把车开往城市的尽头，转到春田高速，车逐渐减少，直接往山顶开去。

停下车，整个城市映在眼中。我有印象，十四岁郊游来过此处，也在这里看夜景，不过灯火不像现在这么多，何况此时已经是初冬，天气寒冷，到山顶更是。我抱紧双肩，向下望去。

丁汐禾说："我恐高，但这样的高度我不怕，不是陡坡。而且，你看这城市，这么大，人太小，一晃神就不见了，你想遇到谁，可能一辈子都遇不到。"

她似乎进入一种状态，夜色昏暗，看不清她的脸。

"我喜欢东京，那城市看起来很喧闹，但不欺负孤单的人，可以一个人吃饭，一个人看电影，一个人住，没人会追问你为什么是一个人。当然，也有可能孤独地一个人死去，也没人注意。"她说，像是喃喃自语。

我没有去过东京，但大概可以体会那种状况，可我无法告诉她，我就是这样孤单地活着，没有被人记挂，也无人可以记挂，日子只是不停往后翻过的数字。

"但我们这座城市不一样，太热闹，人太急切，像离开别人就不能活，导致失去另外一个人，就像被掏空了。大家可能并不真正关心对方，但又总要在一起，好像显得热闹是必需的事，谈恋爱，大概也是克服孤单吧。"她看着山脚下的城市，缓缓地吐气。

　　似乎并不需要我应和，丁汐禾这个奇怪的女人，我刚刚和她见面，却像已认识她很多年。她的三十九条短信，让我觉得心疼，又不自觉地想继续了解她，不管她是女赛车手还是其他。

　　而我，迄今为止如此孤单地活着，从不觉得必须需要一个人，今晚，竟然觉得需要听她说话。

　　"我突然想明白了，我和他，不算是一种人类。"丁汐禾突然看着我。

　　"谁？"我问出了一个蠢问题，像和球技高超的家伙打球，自己发的球连网都没有过。

　　"他。他他他！"丁汐禾用手做出背头的形状，我才醒过味来，应该是那个短信中刚刚分手的男人。

　　"二十岁和三十岁的人不一样，二十岁，你可以为感情大刀阔斧，迎难而上，三十岁不一样了，会计算，衡量，尽力保持收支平衡。"她像给小学生讲课。

　　我若有所思。

　　"林川成，你今年二十五？"

　　"嗯。"

　　"不要变成那种人类啊。起码，暂时不要。"她冲我说。

　　她没有继续讲，跟我说："走，还有一个俗气的地方，但今天好像可以试试。"她拍拍手，像掸掉伤感的情绪以及刚才对于人类的发言。

　　她引我到山顶的另一侧，过程中我们惊动了两对情侣。他们也不以为意，一对甚至还继续保持热吻的状态，恋爱让人忘记季节、寒冷，甚至不惧怕有人围观，两人的爱刚刚发生，就有可以对抗世界的错觉。我不曾体验，也觉得不够安全，我曾这样记录。

　　丁汐禾绕过山顶，再往更深处走一些，竟有一块平缓的山坡。两棵树相对而生，中间有大概二十米的距离，这个季节，万物皆枯，两棵树的枯枝伸向天空，像向城市招手。

　　"他带我来过这里，说小时候他们常来这里玩，老城那时候也不像现在这么大。"丁汐禾走到树下，拍拍它的树干，又转过身来，闭上眼睛，"他说，这是情侣树，传说呢，心里默想着自己喜欢的人，闭上眼睛，如果走过去，能摸到对面那棵，就有注定的缘分，不过，我想着他，没有成功过，果然吧。"丁汐禾笑了一声，闭上眼睛，慢慢挪动步子，尽力保持平衡，向对面树靠拢。

　　她走得并不顺畅，或者想起一些往事，眉头皱了一下，空气寒冷，她的指尖微红。我想她应该很冷，大部分时候，我都无所作为，此刻更觉得自己无能为力，像昨天她发来短信的时候一样，我怕惊扰到她，没有办法发出声响。

　　我想我会记得这里，包括树枝、天空的颜色、山顶地灯发出的微光，以及远方，一些星星闪烁，一切寂静无声。

走到中途，丁汐禾睁开眼睛，放弃了，她哈哈一笑，像是自我解嘲："现在我就更不应该想到他了，而且我完全没有安全感，闭着眼睛走出五步，就已经非常困难。"

我构想她和男子在此时的画面，却被她直接拽到一棵树下，又用手让我闭上眼睛。她的手指很凉，声音古怪，高音被抽去："林川成，想着你最爱的人，走过去。"

我只得照做，这对我其实易如反掌，拜我的秘密所赐，这空间如同被扫描过的精确VR图片。我深吸一口气，坚定地走过去，直到手碰到对面的树干，一气呵成。

我没有想谁，但我脑中有一个在寒风中站立的——惊讶地张大嘴巴的丁汐禾。

睁开眼睛，我想我真不该如此，我不是一个每次考试都要故意把题做错的人吗？这次我为什么如此浮夸？

丁汐禾拍我的肩膀，几乎要跳起来，又夸张地和我拥抱："喂，小孩儿，你……你怎么做到的？"

我羞涩地笑了一下："大概孤单惯了，就方向感比较好。"丁汐禾并不追究，但这壮举显然带给了她一些好情绪。

"下山吧我们，好饿。"丁汐禾说，"我带你吃一家面馆，特别棒。"

开车上路之前，她鼓捣半天，终于把自己的手机连上了车载音响。音乐放到最大声，是那首4 non Blondes 的"what's up"，她跟着唱：

Twenty-five years and my life is still
生命已经过了二十五个年头
Trying to get up that great big hill of hope
而我依然向前 奋力爬上那座希望的山巅
For a destination
为了有些意义……
I realized quickly when I knew I should
我迅速又及时地了解到
That the world was made up of this brotherhood of man
这个世界上，人们靠同仇敌忾来互相友爱
For whatever that means
而我一点也不想深究其中含义
And so I cry sometimes When I'm lying in bed
有时候我躺在床上大声哭泣
Just to get it all out What's in my head
这样才能把脑海中的想法驱赶出去
And I am,I am feeling a little peculiar
然后我感到一些特别的东西

And so I wake in the morning

我在早上醒来

And I step outside

走出门外

And I take a deep breath and I get real high

我深深呼吸 我变得兴奋起来

And I scream from the top of my lungs

所以我发自肺腑地呼喊

What's going on?

这个世界怎么了?

And I say, hey hey hey hey

我说嘿，嘿……嘿……嘿……

I said hey, what's going on?

我会说，这个世界他妈的怎么了。

……

她声音低哑，又倾尽全力，她真的很好看，我这样想。
what's going on?是哦，有什么了不起?

今晚，我想，让那些药丸都见鬼去吧。这看起来好有劲，很
多决定，其实都源于一件小事。

15.

若你从宇宙俯瞰世界，世界不算什么，若你从世界上寻找人类，他们也过于渺小，而真的从漫长的时间维度衡量一个个体的人生，那的确不值得一提。

我曾望着空气中的灰尘发呆，它们或者是树木、是星辰、是曾经的恐龙、巨鲸和我们的祖先，但它们也不再知情，只跟着风任意行走。

人们的泪水和汗，将变成海底的盐。

我现在，开着车回家，脸上带着莫名的笑意。我不会唱歌，但此时会突然想哼起那首what's up。我试着将速度加到更大，超越其他车辆，如一尾刚刚吃饱要急速消耗精力的鱼。

刚才和丁汐禾吃面，没有说话，她挑出牛肉给我，说最近正在保持体重，又抱怨说，瘦为什么是女孩终生的课题。她的脸充满力量，眼睛明亮，说像被孤单的我鼓励，但我想她这只是自己给自己打气罢了。

送她到公寓的楼下时，她拿起我的手机，啪啪地打字，又用力地看着我说，回家才可以看哦，转身下车，她向我挥手，但没有回头，背影像一个要去登山的人。

我目送她消失在单元门里，10号楼2单元。她跺一下脚，惊醒了一到五层的楼梯灯，我差点笑出声来，嘴上说，真是力大无穷。

把手机揣在怀中，时间已经到了十一点二十分，我很少这么晚回家，但我觉得这样也不赖。

把车停到地库，想立刻打开短信看一下，但又像没有做好准备，到单元楼门前时，终于点开发件箱，短信说："我到家了，汐禾，今天真的很开心。"然后手机振动了一下，丁汐禾的短信回过来。"到家就好，我也很开心，谢谢你的陪伴。"

我被这短信逗笑了，虽然这好像小孩子的把戏。我又想，她可能盘算着时间，到预计我正好到达的时候，再发出这条回复的短信。

我的大衣兜里，又多了一颗梅子糖。当然还有陈悟的车钥匙，我要把车钥匙还给陈悟，并且我想跟他分享今天所发生的一切——我，林川成，认识了一个奇妙的女孩。

走进家门的时候我被烟味呛了一下，还掺杂着红酒的味道。陈悟和代币坐在我的客厅里，正盯着沙发上一大堆我的衣服发呆。他看我进来，说："林川成，你买的这些衣服，有任何区别吗？"代币则伸出舌头回头看我，发出哈哈哈的吐气声，像有同样的疑问。

当然有区别，它们从黑、浅黑、深灰到深蓝，色彩并不相同，还有款式、扣子、拉锁处也有微妙差别。我看了一眼我标号的衣服，觉得这样的回答完全没有说服力。

"说，你这是要干吗？"我问他，到冰箱里取水。我的冰箱整齐如新，矿泉水分层摆放，我不需要零食，做便当的食材只需要固定的几种。而且，保持着先进先出的特点，我习惯从最后一排的它们拿起，而后每周及时补货。

他常做一些让我觉得不理解的事情，但他从来不会喜欢我的衣服。我们俩互为硬币的正反面，并对彼此的那一面保持着不能克制的嗤之以鼻。

"我本来想挑几件衣服走，但现在，我决定跟你交换房间。"陈悟忍着笑说。

"所以呢？"我相信陈悟会给我一个合适的理由，包括为什么我开了他的车和交换外套，又突然想起大衣上缺少的牛角扣，此刻它挂在我的胸前。我走动，那颗牛角扣就会连续撞击我，像是一个不大不小的提醒。

当然，此时已经很晚，或许她已经睡觉了，希望今天她没有奖励自己不卸妆。

我有点走神，想起她那张有力的脸和微厚的嘴唇。

陈悟倒了一杯酒，示意了我一下。我慌忙挥手制止，我喝矿泉水，觉得水有生命，但不抢戏，易与人产生交互，这是我怪诞脑壳中的怪诞理论之一。

"我前段时间认识了一个女人，比我大七岁，三十二岁。"陈悟语调深沉，差点逗笑我，但我还是克制住了，"人和人相遇，真是挺奇怪的。她捡了我的钱包，大概我买咖啡的时候落在柜台上，她追上来，说，你的钱包掉了。她很美，我说我要怎么谢谢你？请你吃饭？她说大可不必，我说必须请，她就笑了，直接从钱包里拿了一百块钱，说算作奖励。并且说，这样我就不用感谢她了。"

"所以她是咖啡店的店员吗？"我有疑问，这不符合陈悟的标准，我也不必客气。

"重要吗？重要的是她很酷！"陈悟根本不理我，接着讲，"她转身走了，气定神闲，打开钱包的时候非常自然，完全没把我当回事儿，却让我过目难忘，隐约觉得要发生什么。"

"她是咖啡馆的服务生，可年纪显然大过其他那些。我第二天再去，她竟然假装不认识我，于是，我就故意又把钱包放那儿了。"

我喝着冰水，示意陈悟继续，大概每个男生的荒谬，都能在需要恋爱的时候体现出来。

"她又追出来，把钱包给我，再拿走一百块，说不必感谢她。我说能要你的电话吗？她说不能。她的头发盘起来，一副不以为意的样子。"

"我第三天又去，她送来咖啡的时候，说，这次别再丢钱包了。"陈悟留着悬念一般，非常期待我追问后来的详情。

"所以呢？"我决定不辜负他。

"我就把手机留下了。"陈悟很得意。我觉得他真是个烂梗王。

"这次追上来的时候，她说，电话号码我存进去了，然后转身走了。酷，太酷了。"

"我约她出来喝东西，她说大可不必，又说她比我大，小朋友，你要想找我玩玩就算了吧。我说只是想认识下，她说不是认识了吗？我竟无言以对。"陈悟用手抓着头发，问我，"是不是很酷？"

我无法做出评价，只是觉得，这对于在街上超过一小时就能遇到真爱的陈悟来说，这女人倒真是一个特别的存在。

"到了那天我遇到你的晚上，她突然发短信给我说，出来喝酒，我就急匆匆地出去了。她真是只喝酒，也不讲话。

"喝完她说，走吧。我说送你回家吧，她说，她坐地铁，我说那我也送，她说随便你。我拙手笨脚的，连地铁票都不大会买。路上，她看着我问我，你做什么的，我说，我是过山车管理员，她说哦。

"我也不知道为什么没说自己是谁，连名字都用了林川成。

在她面前，我真像个小朋友。下地铁的时候，她说，你回去吧。自己转身走了。"

"其实，我以为，她会把我带回家。但没想到，她完全没有这个意思，或者她只是想喝酒罢了。"陈悟向我挤挤眼睛，"那感觉就跟准备好上场打拳，比赛却临时取消了一样。"

我想起丁汐禾的前任，成熟大概是一种通行货币，用来交换年纪，但它让人变得理智、冷静、懂得拒绝，也可承受拒绝，见怪不怪，我们越长大，离本性越远。好在成熟似乎是我的属性，以我冷静全面观察世界的角度，这些都在正常范畴。

"我觉得爱情就是他妈的不讲道理，看着她的背影我特别想保护她，但可怕的是她根本不需要，而且我也觉得谈这个太早，毕竟我们才见过没几面。"陈悟皱着眉头，声音加大，"但川成，你知道她打动我的是什么吗？"

"不知道。"我如实回答，像每次听他的故事一样，此时我已经到洗手间里洗脸，洗手台的镜子旁的便笺上，写着陈悟的基本描述：陈悟，死党，富二代，身高一米八八，体重六十九公斤，爱好打泰拳，觉得每一段都是真爱，容易伤心、感动的双鱼座，智商较低。

"你每次能不能认真听我说话？"陈悟冲进洗手间，像一辆好看的虎虎生风的坦克。

我用手按住便笺上的字，说："陈先生，恭喜你再度获得真爱。"

　　我理解这些，喜欢一样东西，就想立刻据为己有，这是本性。更何况，说是本性，其实人也很难控制自己喜欢什么。

　　"这次真不一样。我们每天通话，发短信，像大学谈恋爱的样子，当然，"陈悟坚定地说，"我爱看她打扫，慢条斯理，又精准有序，利落。像我妈。"

　　我终于还是笑出声来，这当然也不像我，我一般只负责倾听，对嘲笑并不擅长。

　　"更要命的是，我告诉了她。她并不生气，说，那改天她到我家给我做饭吃。我想，还是不要吓到她，而且你知道我的房间，实在也太不像过山车管理员的房子。"

　　"所以，我只好试试你这房子了。"陈悟继续说，"当然，我也知道这很奇怪，但人生已经这么平常了，偶尔有点变化也不错，真让我当你的话，大概枯燥乏味。"

　　我整理好生活的必需品和可替换的内衣，站在门前说："那赶紧休息吧，准备让你的女神上门。""代币，我们走。"我冲着代币喊了一声。

　　"不行，它也得留下，我还说了，我有一只狗。"陈悟故作委屈地看着我。

　　"陈悟，你真是智商低下的双鱼座。"我只好摔门而去了，临摔之前，我看了一眼我可怜的家，以便回来的时候能够恢复原状。

我站在自己的门外，想起我忘了跟陈悟分享与丁汐禾的故事，大概，他也未必想听。好吧，我想，这也许是个不错的决定。

我按密码进入陈悟的房间，这是陈悟对我的要求，以保证随时可以打开我的门。我知道，他是怕我出意外，为示公平，他说他的门我也可以随时进入。开亮灯，我还是被这可怕的房间惊呆了，确实无法与女神做饭，简直无法让女神下脚，可这里，难道不是更适合妈妈型女神来展现打扫技能吗？

我发出一声叹息，药瓶应声滚落。我连忙用手在空中打捞，但已于事无补，它们"啪"的一声摔碎在地上，那些本来的命运是陪伴我未来每个夜晚的胶囊，惶然地散落一地。

好在，我已经决定了，从今天起，不会再吃它们。

这贸然的决定让我觉得危险，可觉得自己不再恢复原状，又有几分兴奋，脑海中回荡着"what's up"的歌声。我不吃了，我要记住的事，不应该被人抢走。

16.

我在睡前给丁汐禾发了"晚安"二字。

手机没有再响。

说是睡，只是躺在床上，盯着陈悟的豹纹壁纸发呆。它们变成了一个个瞳孔，带着呼吸，争相看我，又扑到面前，仔细地嗅，好像我是奇怪之物。

当夜刮了很大的风，像要把城市里不需要的东西全部带走，包括孤单、相聚、离愁，大风之下，没有多余情绪。我躺在床上辗转反侧，刚刚过去的整个白天，被切成一幅幅高清照片，在我脑中次第播放。第一个不吃药的晚上，我必须与习惯作战，我将其他多余的部分在脑中做整理，只留下与丁汐禾相关的。此时我像检视我脑片的草真医生，格外认真。

草真医生说："因为短时记忆存储的位置有误，不吃药除了造成记忆存储过量，还会让你睡眠变得特别差，超忆症患者从不做梦，因为记忆过于清晰，无法启动潜意识。"他解释说，眉心沁出细密的汗珠，"而且，其实你根本不需要睡觉，因为并不存在头脑休息的问题，是存储位置不同造成的。"

"如果我持续不吃药会怎样？"我这样问。

"大概整个记忆系统会失去效力，可能你连到目前的记忆都无法保存，水球会爆的。"他像是叹了一口气，又使用了专业的后缀说，"但我们对大脑知之甚少，所以，存储量的问题目前并没有精密的计算。"

"大概多长时间？我是说。"我强调。

"三个月，至少一个月，或者更短一些。"草真并无把握，但他皱了一下眉，显然并不同意我这样的问法，"保守的方法，还是持续这样的药物治疗，所以，生活受到影响是肯定的，但千万不要轻易尝试不吃，痛苦你是知道的。"

痛苦我是知道的，何况现在我正一点点地感受，大概有一种类似面包刀的东西，在我脑中来回切拉，将记忆切成数块，再择其一，摆成可切的方向，再一刀下去，如此循环。

服药的数年间，我都不曾做梦，到凌晨的时候我应该有超过两小时的睡眠。我梦见丁汐禾与我坐过山车，天降大雪，她声音古怪，但笑得很开心，眼神有力又温柔。

早上七点，我在闹钟声里醒来，坐起来发呆，头不再疼，奇怪的是也并无困意，比我之前睡足八小时的时候更清醒一些。我不用适应自己是谁，过山车管理员林川成，不用熟记自己的特征，朋友陈悟正住在隔壁的"我"家里。

"我"的概念如此清晰，我只是在心理上完成了一次"睡觉"，如草真医生所言，这于我并不必需。或者，这短暂的睡眠只服务于大脑之外的其他器官。

我在地面上做伏地挺身五十次，起来的时候觉得全身被血充满，再到洗手间冲澡。镜中的我，头发向后梳起，不是之前林川成的模样。

我拿起手机，给丁汐禾发了一条短信。"早。"再到衣柜找衣服，陈悟的品位啊，我这样想着，尽可能装扮得更像自己，到出门时，身体已经微微出汗。镜中的我，穿黑色短皮衣，圆领毛衣，牛仔裤，白色球鞋，当然是限量版，尴尬也在于此，它的鞋帮部有一条荧光粉色的logo，让我觉得好难为情，但比起那些尖头皮鞋来，它已经很常规了。

我将头发铺在额前，又觉得不妥，到浴室找了发泥，将它们抓到后边，我的额头整个露出来，鼻梁立刻显得挺拔。背着双肩背包出门的时候，我觉得我是一个轻快的年轻人。

到地铁站的时候我拿了一张当日的报纸，平时我从不看它，今天我兴致颇高，甚至我在地铁站门口的星巴克里，买了一杯咖啡。

等待咖啡的时候，我大概通览了下店内的留言册。它本土化之后，也会有供人涂写的大本子，比如有人在上边示爱，或者说生日快乐。我阅读很快，到中间时，我发现一篇说，焦糖的真甜啊，但放海盐才真够刺激。

下边留着名字汐禾。然后，另外蓝色的笔在上边回复说，是哦。再看签名被涂抹掉了，可以辨别有"健"的字样。

我轻轻叫了一声，一是原来丁汐禾曾离我这么近；二是我脑补的画面是，汐禾和他在这店里等咖啡，正是爱情最好的时候。她写字的时候，他用手环绕住她，又用嘴在她耳边呵气，她笑着躲着百无聊赖地写下焦糖加海盐这样的话，他也拿笔来签上名字。然后咖啡来了，丁汐禾小鸟般欢快跑去取，男人目光温柔，看着她的背影，再用笔把名字划去。

我拿起笔，把健字完全涂掉了，再一笔一画，写上"是哦"，又留下"川成"二字。

"先生，您的咖啡。"我恢复了神采，变成一个轻快无比的年轻人。

地铁上，我大概了解了整个城市的地铁线路，它本属于基础常识，此刻更是印在我的脑中。

坐地铁到赤金广场，店铺开门的时候，我成为第一个来买手机的顾客。我的银行卡被刷去一部分钱，手机卡又被店员切去边缘，然后他又像想起什么，抱歉地说："先生，刚才忘了提醒您，您那部手机款式过老，删掉卡的时候，可能部分短信无法恢复了。"

我并不在意，如有必要，我依靠回忆便可立刻搜寻到它，甚至一并想起，阅读它们时的心情、风速、温度等。等待修正手机卡的时候，我通读了下新手机的说明书，等店员把全新的手机给我时，我把外包装通通给他，只留下耳机和充电器，他说："先生，说明书和保修卡您不留吗？"

"不留。"我对自己的决断表示满意，更何况我已全部记下，而东西坏又无法阻止。我没有跟店员说这些，看起来我不仅无比轻快，甚至有点潇洒。

为避免迟到，我加快步子，到赤金地铁站，正赶上写字楼的人群开始上班的时段。他们穿着黑色、灰色的西装，拎着手提包，手里拿着咖啡或者其他早餐，急匆匆又没有声音地前行，像巨大血管里默默按照逻辑行进的细胞，或者在下雨前，必须成群结队修建堤坝的蚂蚁。我抬头看向赤金大厦的玻璃幕墙，它倒映着街面上的人群，像悬在空中的一片湖泊。

我掏出手机来拍照，以便测试下拍照功能，这于我并无意义。我望向街面上的广告牌和店铺，它们迅速高清化，进入我的脑中，我晃晃脑袋，觉得这样的存储有点浪费。

保持着严肃的表情，我在地铁上甚至闭上眼睛，不再随意观察它们，这存储会让我头疼。早十分钟到达游乐场，靳山来的时候，我正坐在驾驶舱摆弄新手机，他说："哇，新手机，川成，你这两天怎么回事？"

不仅如此，我还没有带便当。我心里默默回应，最终只给了他一个微笑。

"你盯一会儿，我要补一下觉，昨晚上通宵看一部纪录片，太累了。"靳山打个哈欠，在我身后把两把椅子摆齐，又用我的背包当作枕头，尽可能地摆平身体，看样子要大睡一场。

我不会做这样的事情，我对世界保持克制的方法，或者与这些我喜欢的东西保持距离的方法是——不被它们左右，即便再爱看的书，到规定睡觉的时间我也会合上它。

我想起这些，这大概是之前的我，我想起昨夜的辗转反侧，觉得靳山如此也不无可爱的话，就迅速把它看完，不像我，越珍贵的越要留着，好像后边能派上用场似的。

而现在，我似乎要换另一种方法看待问题。

"丁零。"手机发出一声清脆的响："早啊。"是丁汐禾，"我正披头散发地在去上班的路上。"

"是哪里啊？"我脑中有张地图，下意识打字，竟然发出了这样的问话。

"赤金广场。"她回。

"啊，刚才我也在那里，CBD的人潮太吓人了。"

"是吗？那我们怎么没有遇上。"她应该在走路，高跟鞋咔咔作响，身上的大衣质料考究，头发被精心地梳过，脸上的妆细致美好，看不出破绽。表面她早已经不是这个城市的异乡人，和她身边同样走过斑马线的人毫无分别，用同样的时间、青春换一个并不知晓结局的未来。

　　她说："是，高跟鞋被踩了，脚很疼。"

　　我突然想起她在赤金广场上班，刚才耸立的高楼和店招牌，她或许就在当时的人群当中，而我正拿着新手机对着幕墙拍摄。我闭上眼睛，在脑中搜寻当时的境况，然后在一幅画面的左上角，我发现了那张生动有力的脸，将画面再放大一些，她更清晰了，只是和我想象中的完全不一样。

17.

我简直要为自己的记忆兴奋一下，但这景象又让我有点吃惊。

这个丁汐禾，和昨日的丁汐禾完全不同。她是素面朝天的，嘴唇微厚，鼻梁挺直且坚定，上边架着一副黑框眼镜，看起来疲惫，连头发都没有精心打理，变成了一个无精打采的马尾。她穿深蓝色帽衫，牛仔裤，脚下一双运动鞋，手里拿着一个保温杯。她似乎刻意低调，要掩盖她明亮的眼睛，或者只是在辛苦赶路，要一路颠沛，可偏偏又要迟到，显得匆忙，整个人目不斜视的，消失在了玻璃幕墙的一角。

为什么？这和昨天的丁汐禾判若两人。我打开手机，寻找照片，希望借此能判断我是否记错了。但玻璃幕墙的照片一片模糊，蓝色的帽衫似乎隐约可见，但人却难辨面目。

上午的乐园空寂无人，冬天已经大规模进驻城市，开始有肃杀之气。时间到了十一月十五日，距离热闹的圣诞还有一个多月，换装的小丑路过，向我招手致意，我回应他，不禁露出笑容。他的妆已有些崩坏，笑容却像凝固了一般，有一股固执的善意。我在阳光下长长吐气，又试着伸展身体，想象丁汐禾正在伏案工作，偶尔喝一口热水，不过，我其实连她是做什么的都不知道。

这真不像我，竟然长久思虑一个人，当然，说长久也有点过分，我们只不过认识了两天而已。

而之前，我大概只想尽力减少与这世界的关系，保持独立和冷静，让一切恢复原状，现在原状让我觉得枯燥，因为不花很多时间，我已经完全熟悉了我所在的地方。我突然理解靳山和他每天不停的唠叨，大概只是因为固有，毫无新意。

靳山不知什么时候醒来，念叨了一句真冷，他搓搓手臂站起来，尽力走到阳光里，他有点自说自话："梦到下大雪，北海道的雪也很大了。"他看着我，又无限神往地抬头看天，"但那边的雪，不像我们这边这么短，它们可以下一整天，街上的雪堆起来，也不迅速化掉，一人多高。"我想象那种场景，觉得这座城市的冬天真是寡淡平常。

"去吃饭喽。"靳山向我招招手，转身走开。他不喜欢带便当，觉得任何食物盛进饭盒立刻失去灵魂，哪怕是一碗白米饭，我没有同意过他，当然我一日一忘，根本也不觉得吃重复的便当有什么问题。

"呃，等等我，一起去吃吧。"我犹豫了一下，还是说出口了。

靳山回头看我，表情有点愕然，他点头说："好啊。"

挂上"暂停服务"的牌子，我转身赶上靳山。似乎惊喜于我的变化，靳山有点兴奋，我这样一个冷静无聊的人，竟然主动要求一起吃饭，何况还破天荒地束起头发，大概他有无数问题要问我，我不问自答说："朋友来借住，有点不方便自己做饭。"

他和我并肩走着，嘴里发出咝咝的响声，似乎以此可以御寒。他的眼睛小而细长，笑起来像两道弯月。

我们到乐园边上的餐厅吃饭，靳山显得郑重其事，甚至问了我有没有忌口，等菜的时候，他拿出手机来查机票，我好奇地说："准备出发了吗？"

"没有，但习惯看看，就像立刻就可以动身一样，只是我的乐趣罢了。"靳山略显羞涩地笑了一下。

"像恋爱的人想象见到自己的情人。"靳山接着说，"呃，你可能没体会过。"

我心里想着丁汐禾，点头表达认同。

我发现我没有认真跟他沟通过，更别说要了解他有什么想法。

吃饭的时候，我和靳山聊了很多关于旅行的往事，但受记忆的影响，我只能讲出更早时候旅行的场景，包括在某个名胜和家人走散又靠大哭吸引粗心却好奇的妈妈来看热闹，发现丢掉的孩子是我的故事。他听了大笑，又交换了一个他当背包客，找不到厕所，后来又解不开冲锋裤，结果把屎拉在裤子里的秘密。我不禁哈哈大笑，劝他压低声音，因为故事被他描述得一波三折，非常有趣，但觉得在餐厅里聊这些实在不雅。

回去的路上，靳山说："川成，今天我们说的话，大概比你在这里两年还要多。"

我点头沉默无语，想起和丁汐禾的交流，觉得自己荒废了很多时间，而且她在做什么呢？她吃过午饭了吗？

大概这是一种叫作想念的东西，像……靳山对待自己的旅行计划一样。

与靳山的交流让我兴奋，但也不难想通，每个看似平淡毫不出奇的人，都与看起来不大相同。这也让我觉得惊惶，我认识但只认识了两天的丁汐禾，到底跟我想象的有什么出入？

下午不忙的时候，我就打开手机，看些网站新闻，这些从不在我关注范围之内的资讯，突然变得极其有趣。靳山推荐给我一个摄影照片的应用，除了用极其精准简要的语言描述照片的背景，还标注了我的所在地与新闻发生地的距离。距离7736千米之外的布莱特湖，一只天鹅正在休息；印度立交桥坍塌事故的现场发生在3273千米的地带，救援人员正在紧张地搜寻幸存者；4284千米处，俄罗斯叶卡捷琳堡动物园，两个月的树袋熊幼崽和妈妈一起亮相；7744千米之外的冰岛熔岩区，绿色的青苔正将岩石完全覆盖……

　　此时，超忆症患者林川成，正在八角游乐场的一隅，惊喜地发现自己变成和世界有联系的一个标记点。

　　而我与丁汐禾距离七站地铁，这真是手机的妙用。

　　"晚上，要不要一起吃饭。"我发出去短信的时候，像和对面的人打了一个招呼，但看不到对方的情绪。

　　定睛看着手机屏幕等待回复，直到顶端出现"……"的图形，若我没记错，大意是对方正在回复，然后这字符忽隐忽现，一直未有完整语句发送回来。日后，如果我有机会记录所谓煎熬的意味，大概这便是其中的一种。

　　丁汐禾似乎欲言又止，又或者写了再删除的样子，到最后，"……"干脆消失了。

　　她没有回复我。

　　我按灭手机，心像被沉入水底。

　　隔五分钟再看，依然没有回复。新闻应用里，人们在讨论关于I miss you的翻译。日本人说，あなたがいなくて、私は寂しい。"你不在，我感到孤单。"

　　这是我这么多年来第一次觉得孤单，无法自得其乐，像急切等待水烧开的干渴的人。

18.

不再吃药的第一日，拥有手机的第一日，和靳山打开话匣子的第一日，我有点无精打采，到九点闭园之前，我无数次翻看手机，丁汐禾都默默无声。

那短信像一个尴尬的存在，提醒我，其实我并不是一个丁汐禾需要每天见面的人。

我摸着胸前的牛角扣，想该如何度过这个晚上，好像人生第一次觉得无聊，觉得自己没有爱好，更没有事情可做。

和靳山说再见，再到园门口打卡。我恢复到原来的那个我，甚至对着镜子，我将抓起的头发按下来，那个瞬间有些明亮的家伙，原来并不是我。

到便利店买牛奶，店员大雄对我说："哟，过山车先生，您下班了。"

我挤出笑容，算作回应，又打开手机走到牛奶柜前，低头拿牛奶。余光里出现一双亮黄色高跟鞋，站定之后，其中一只脚像猎犬般，警惕地盯住了我。

我抬头看去，发现丁汐禾笑意盈盈站在我的面前。

"是的，没回短信，现在直接来接你下班，再一起吃饭是不是显得诚意十足？"她良好的表达能力帮助了她，也让我开心起来。

"行啊，林川成，你把头发抓起来，气质大变啊。"丁汐禾笑着说，又用力地拍了一下我的肩膀。

"饭前，正好陪我去乌巢书店一趟。"她自顾自地说，像我根本不用参与意见。

我点头称是，和她一起拿好牛奶。大雄看着我俩笑得意味深长，我只好迅速收起脸上的笑意，脸红到耳根儿，这也太不像被称为镇定剂的我了。

丁汐禾在我左侧走着，头发被夜风微微拂起。她化了淡妆，眼神明亮，睫毛显得浓密，淡蓝色的大衣正好配合她的年纪，一条白色围巾在颈上挽了一圈，柔软又温暖的感觉。我脑中对应着她早上匆匆上班的影像，正有点疑惑，她拉起我跑起来，饶是她穿着高跟鞋，她的速度也让我钦佩，有几次被白色围巾打中面部，却只能傻傻地问："怎么了？"

到地铁站的时候，正好9：25，地铁准时到达，我们坐在座位上喘气，她才说："时间刚刚好，到乌巢站八分钟，再步行过去，我们还有二十分钟可以逛。"

我很开心，像得到奖赏的狗，这样描述自己的时候，脸立刻红了。在地铁上，我看着被她拉过的手发呆，样子一定很蠢。

十点下班的书店空寂无人，店员在匆忙地摆放堆头。我很少到书店，读书于我是十八岁前才做的事，超忆症让我阅读速度很快，到现在仍能清晰记得。我当年深爱白石一文，觉得他文字绝望冰冷，视角又很新鲜，《我内心尚未崩坏的部分》到如今仍能倒背如流，如今想来，我竟宿命般成为如他笔下人物一般镇定，大概算是人生给我的为数不多的伏笔。

现在，我想我正寻找内心尚未崩坏的部分，丁汐禾像一把漂亮的钥匙，正为我打开这纷杂的世界。

我们从畅销文学部穿过，她停下来查看，嘴里念念有词："你看这些书名，简直让人崩溃，所以说失恋女性要到书店里逛逛，无数畅销书都可以满足你。"她拿起两本书向我做鬼脸，"《你是最重要的存在》《你可堪岁月更好善待》，就像不管你是谁，是不是好看，是不是又懒又蠢，看看这些，就可以被原谅了一样。"她把书放下，斩钉截铁地走向推理文学专柜，细细挑选起来。

我无事可做，只好在附近流连，甚至打开《你可堪岁月更好善待》看看。封面上的女作家和惠子三十出头，长发，脸上带着无懈可击的笑容，而腰封上的文字则带着浓重的贩卖感，满是类似"治愈""感动""温暖"这样的词，这样的书成为畅销书并不奇怪。我大致翻看了一下，很多话读起来确实颇具揭穿意味，甚至有几句很有共鸣的感觉，比如"总有一些东西，要用消失来证明它的珍贵"以及"可感情就是这样的奇怪，你在这个人这里拼命想获得的，在另一个人那里得到时你却并不稀罕"。

我未曾经历，却有同样论断。爱情如有生命，必也会随着时间消亡，但就如人注定会死却不能因此放弃活着一样，感情会变坏只是感情的一个阶段罢了，而产生好奇与妄图征服另外一个人，则是爱情的开始。

我竟然对丁汐禾好奇，因为她生动、冰冷、有主见，又有奇怪的温暖，现实的她和故事里的她以及脑中想象的她有很多不同，包括我不知道她竟然是个深爱推理故事的女孩儿，当然，我连她做什么职业都不知道。

"到底在哪里呢？"丁汐禾发出疑惑的低语，用嘴咬住手指，目光在书架上搜寻。

"找什么呢？"我走过来问她。

"两本。"丁汐禾继续保持着搜索的状态，"《幻夜》和《布谷鸟的蛋是谁的》，都是东野圭吾的作品。"

书架大概两米五高，共分五层，因为是外语图书，每本数量都不多，确实找起来比较困难。好在我的秘密帮助了我，在合成图片之后，很容易进行放大处理，我在第三层和第五层找到了这两本。

我拿在手里，说："我来买给你吧。"我想我应该更轻松一点，竭力让自己的问话变得自然，"但你告诉我你是做什么的。"为了显得轻松，我还刻意地笑了一下。

"我不是跟你说过了吗，我是杀手。"丁汐禾做恶狠狠的表情，再用手顶了我的腰一下，从我手中抢过两本书，抱在怀中，用力地点头，说，"这都是我的工具书。"

结账走出书店，丁汐禾站定问我："川成，如果我只是我，不告诉你我的职业，你觉得我们就不能做朋友吗？"

"当然不是，我只是好奇罢了。"我说的是实话。

"而且，你还不是一样，我也并没有要知道，你为什么开着奔驰，却要在游乐场当过山车管理员。"丁汐禾语调带着俏皮，但我觉得这不算一种交换。

"我……"和女孩子斗嘴，我没有任何经验，何况又赢不了。我摊手，表示顺从。

十一月的城市开始被寒冷占据，吃过饭，我和丁汐禾说再见，本想开口送她，但又怕她拒绝，最后只好跟她分开。

她抱着书，和我挥手再见，笑容分外好看。

19.

我不想回家，可也无处可去，便向丁汐禾离开的方向走去。

吃饭的时候我们谈论一些读过的书，还有喜欢的作者，却没机会再聊到彼此，甚至后半程我们没有说话。我想，一定是因为我贸然问她的职业，让今晚的气氛有点晴转多云。

大概也因为我还是个木讷无趣的人吧，我有点遗憾地想，可也觉得，这不就是我吗？

路边的游戏机厅正用户外音响大声地介绍全新项目，有穿着奇怪的女孩在店门口发传单，电子乐在寒冷的街上热闹得有些不合时宜。我没有进过这里，目光却被两位老人吸引，他们头发花白，看样子超过七十岁，肩上背着双肩背包，像刚刚结束一天的旅程，但仍兴致盎然。

他们激发了我的兴趣，甚至让我有些许感动。我似乎从来没有想过这样的瞬间，尤其未来对我来说又难以辨别，会是谁陪年迈的我一起旅行呢？

我脑中浮现出丁汐禾的影子，只好硬生生地把她涂抹掉。

男人被老太太拽到游戏厅的娃娃机那里，老太太买来代币，笑得像朵花一样，男人开始学着抓娃娃，眼睛在皱褶里发出光亮。

他屡次失败，老太太则在旁边发出"哎呀"的叫声，很是惋惜。男人手有些颤抖，可能眼睛也不大好，娃娃机的夹子简直是在故意捉弄他，触到娃娃就立刻瘫软，有一次几乎要成功，却在拉升的那刻，娃娃应声掉落，最终仍是空无一物。

老太太有点失望，眼睛看着娃娃机里的娃娃，又撒娇似的捶了男人一下。他们若是二十多岁，这样的行为当然不足为奇，但他们年过花甲，这画面看来就让人心疼。

反正无事可做，我径直走过去，跟男人说："大叔，我来帮你们吧。"

男人有错愕的表情，但老太太显然很开心的样子，连说，好啊好啊。

这于我太过简单，大概在脑中，这些挤挤挨挨的娃娃只是平面图中一个个可确定的位置点，根本无须精密计算，所以，我几乎可以立刻判断在何时坚定地敲下按键，像我在驾驶舱里按下开始键一样。

娃娃应声而落，老太太发出少女般的笑声，大概这是他们今天旅程一个完美的句号，我想。

最终我拿老人剩下的七个币，帮他们夹到了七个娃娃。老太太执意要送我一个，我看着粉色的毛毛虫，觉得确实有点丑，可推辞也显得太不礼貌，只好接过来。

走出游戏厅的时候，我内心非常宽慰，觉得自己并不像刚才那般无用。我不困，不需要睡觉，更不想回家，但这偌大的城市，我竟无处可去，前方有便利店，我想着，觉得可以去买瓶水，左右是消磨时间。

便利店有透明的大窗，我走过去的时候，正好和丁汐禾面面相觑。

她手里有一罐啤酒，旁边还有两个空罐，应该是刚喝过的，而我脖子上缠着粉色的毛毛虫，大概像个被女朋友甩了的倒霉蛋。

"不好意思，又见面了。"这是我认为的人生一百个"十分尴尬"之一，那状况像不辞而别临时撤退的聚会，你走出门来，竟然发现外套落在了现场。

再撤回步子已经来不及，我只好停住脚步，向她挥手致意。

她和我说再见，再躲在便利店里喝酒，到底是为什么？刚才我记得她说过自己很困，要早点回家休息。她招手让我进来，脸上有些许的尴尬，只好抢过我脖子上的毛毛虫做掩饰。

"这是什么啊？"她把它套在脖子上，嗯，这样看起来和谐多了。

"刚才在游戏房，帮一对老人抓娃娃，他们送的。"我如实相告，又有点没底气地问，"你怎么又喝酒啊？"

我没有立场这么问，她要再说"你管我"的话，我应该很难下台。

"走过的时候，兴致来了，加上反正错过了晚班的地铁，就不想那么早回家。"丁汐禾双手捧着啤酒，啜了一口，又打开一罐给我，"反正也无事可做，又不用恋爱！"

"美好是什么？美好是世界和平，心里没人！"丁汐禾看了我一眼说。

"岁月静好是什么？是一个人喝啤酒，愿意喝多久喝多久。"又接着，她继续发表观点。

我点头称是，无辜地看着她，她当然还是在为失恋伤心，我基本上可以确定。趴在便利店的桌上望着窗外，街上仍有情侣们走过，她的目光跟随着他们，说："这个，女孩好像更爱对方一些。"

我看着，表示赞同。

"这个呢，哦，天哪，女孩戴着粉红色眼镜，肯定很难伺候。"她又说。

"眼镜摘掉不就得了吗？"我不解。

"不不，粉色眼镜是一种类型。"她坚定地表示。

"那这个呢？"路过的女孩画了极为鲜艳的红唇，灰色的斗篷当街招展。我问。

"嘴唇画得越红，越孤独。"她说，"外表看起来无懈可击，内心敏感脆弱，回家喝了酒哭得跟屎一样。"

"长发中分也是一种类型。不好惹，看起来挺平易近人的，其实非常骄傲和自我。你想想，留那么长的头发，必然需要男的很长时间等她。"丁汐禾不像在跟我说，倒像是自语。

"而且，可能脸大或者方，像我一样。"她把自己两颊的头发梳起，面向我，被自己逗笑了。

我想起她关于河豚的故事，不知道该不该笑，只好拿起啤酒来掩盖。不过，她有这样细密准确的观察，倒和我算是同样的兴趣。

"所以其实很多事情，都是有规律的，我这样的女孩，看起来喜怒无常，可能，未必是你们男的会喜欢的。"她继续说，"林川成，我是什么类型？"

"呃。"我一时还很难总结。

"我呢，半长不短的头发，黄色高跟鞋，说明内心非常期望别人关注，但因为姿色平平嘛，所以未必能得逞。"

"不不不，你挺好看的。"我忙不迭地否认，但显得更傻。和女孩子这种奇怪生物靠近都会让我心跳加速，何况还要应对这样可怕的问题。

"下午收到你短信的时候，我准备很开心地回好的，然后他的电话来了，说晚上要把该给我的东西给我，下班来接我。"丁汐禾过掉了那个玩笑，看来想把故事讲给我听。

"我说不用了，东西扔了吧，何必再见面呢？但我其实还是想见他的，我一直愤愤不平，大概不是因为别的，是因为他对于和我分手毫无感觉，甚至都不挽留一下。

"爱情里最大的伤害不是争吵，是冷漠，你说分手吧，他说好的，像正合我意。

"下了班，他车在楼下，新的。我说我涂的那辆呢？他说，放着呢，算是个提醒。我说，你们有钱人真是任性，这提醒够贵的。

"他说，值得，要一起吃饭吗？我说不用了，送我去见一个朋友。然后他把我送到了游乐场那边。我下车的时候，他说，给你的，把东西给了我，我打开一看，是我无意中提过的，说一直在找一本东野的书，内地没有发行过，他专程去香港买了，拿来送我。

"如果他是渣男，我还能更开心一点，但他偏偏不是。

"我去书店，是答应过送他的，我觉得得把答应的事情完成，像他答应给我的一样，但我不会见他，快递就好了。"她继续说，又自我解嘲般，"敌人不坏，杀起来没有动力啊。"

我一直没有说话，心像被按入冰水里，再用手拼命揉搓了几下。

喝完一罐啤酒，和丁汐禾真正地再见。她向我招手，把毛毛虫再度套回我的脖子上，坐上车，关上车门，没有回头。我看着她在车上的影子，对着整个街道深深地吐了一口气。

回到家，确切地说，是陈悟的家，我直接躺在床上，看着豹纹墙纸的房间发呆，这心情起伏不定的一天终于要过去了，但我依然不困，没有睡眠。

我想起丁汐禾，还有那对老人。老太太买币的时候，男人看着她的背影，偷偷拭泪，再打开一张纸，又看了一下，把它撕碎了，趁机扔到垃圾桶里。我好奇地将这细节无限倍次放大，发现上边大概写着"胰腺癌三期"的字样。

老太太回来的时候，男人平静如初。

我的头开始疼，但尚可忍受，过去现在包括未来，丁汐禾、靳山、老人，都在脑中争相登场，整个一天的时间都在脑中不停地循环播放。我某一刻有点犹豫，是不是要拿药来吃，但最后我还是决定不要。

我索性坐起来，给丁汐禾发了晚安。

然后，到陈悟的书房里，准备随便拿一本书来看，但除了漫画和杂志，我几乎一无所获，最后，我只好拿起一本《乔布斯传》来看，直到天色微亮，我仍毫无睡意。

没想到，我的睡眠就这样被收走了。

想来觉得荒谬，我不是被唤作"镇定剂"的家伙吗？为什么心情会跟着丁汐禾浮沉。那陈悟呢？代币呢？我为忽略他们俩感到羞愧，看来，明天早上要回家里看看了。

这样想着，我每天不可多得的两个小时睡眠，终于被我等来了。

然后，好像过了不到一刻钟，我被窗外狗的吠声吵醒了。

看下时间，已经七点零五分。

我望向窗外，看到楼下花园里一个熟悉的身影，还有在旁边边跑边发出吠声的代币。

每天中午才起床的陈悟，这是在发什么疯？

20.

我对着镜子简单收拾了一下，看起来我并不像想象中那么糟糕，不再吃药的第二日，我发现，似乎挨过了晚上严重的失眠时间，状况就不会太差。

除了黑眼圈。

换上运动裤和球鞋，我决定下楼看看。

代币首先发现了我，欢快地跑来。陈悟被代币引领，跑到我的面前，身上只穿了一件长袖Tee，头发已经被汗水浸湿，冒着热气，这是冰冷的十一月，我想，他一定是疯了。

"你……"

"我怎么了？"陈悟宽大的肩膀和胸脯有力地起伏着，声音有点不平稳，但笑容非常明朗，"镇定剂，早啊。"

"你这是发的什么疯？"我疑惑地问，代币在我的脚边来回转圈，显然，过大的运动量让它非常兴奋。

"我和她昨晚一起吃饭，她说，年轻人不应该浪费时间，然后约定了一起早上跑步。"陈悟原地踏步，尽可能让自己保持运动的状态。

我对此非常吃惊，在我的基础认知里，陈悟是一个从来不知道早饭和早晨是什么的人，每次说到早上，他都咧开嘴巴说，下午一点是我的早上啊。

下一句是，到了美国我都没有时差的。

而这位，现在正在东半球的清晨，带着狗出来跑步，仅仅是因为刚刚认识的"真爱"。

"这绝对是真爱的力量啊。"我蹲下身抚摸着代币，它和我同样，内心一定也发出惊叹。

"我也觉得很神奇，昨晚上我们一直视频到凌晨，但早上，我和她都起来了。"陈悟说完，从运动裤里掏出手机，再对着那里说"我已经跑完步了"，大概是向真爱汇报情况。

他用颈间的毛巾擦汗，再一把搂住我，说："走，一起吃个早饭去。"

送代币回家，再到整个吃早饭的过程，身为镇定剂的我，一直被陈悟的喋喋不休环绕。大意是这个女人给他带来的变化，也让他感到惊叹。

我点头称是，又想起丁汐禾。昨天发了晚安之后，她再也没有回过来，让人捉摸不定，呃，其实也不是捉摸不定，何况，她还跟我说："我应该不是你会喜欢的人。"我想起她的眼神，看我一下，再迅速转开，看向更遥远的地方。

这是另外一种拒绝吧。

拿出手机看短信的时候，陈悟叫了出来："镇定剂，你竟然换了智能手机，这比我早起还可怕。"抢过手机的他，正好看到的是短信界面。

"丁零……"有阅读障碍的陈悟必须靠读出来才能辨别字句的意思，这让我有了充分的时间把手机夺回来。

"喂，你小子……"陈悟抱怨了一声，也没再坚持，何况他的手机亮了一下，大概是对方给他的回复。边看，他似乎无意地说，"你小子，不会也恋爱了吧？"

他用了"也"，想来正沉浸在这份"真爱"里。

我忙不迭地否认，心里乱作一团，如果陈悟知道我突然停止了吃药，大概会觉得世界崩塌。当然，我停止吃药和丁汐禾并无关系，只是在合适的时间，做了合适的事情罢了，我这样想着，算给自己一个台阶下。

"这手机，只是路过，觉得活动比较优惠罢了。"我说，"而且，似乎很有意思呢。"

"每天都忘一遍，这功能对你是不是有点复杂？"陈悟随口说了一句，或者他意识到失言，忙观察我的神色。

我不以为意，因为短信响了，是丁汐禾，她回了一个"早"。

和陈悟告别之后，我长舒了一口气，当然在粗枝大叶的陈悟面前，我并不至于露了马脚，但万一被他发现我不再吃药，一定会小题大做。

小题大做？我这样想的时候，觉得自己真是不该这么说。按照草真医生的说法，我这个会"被水充满的气球"，乐观估计，是三个月的时间甚至更短。

但我并不恐惧，也不悲伤，活着和死去，于我的意义并不那么重大，何况，一日一忘，生命和一天又有什么分别。

那终究是班必须到达的列车，甚至所有的物种都不可赦免。

对被称为镇定剂的我来说，这连悲观都谈不上，可能只是一种恢复原状的情况而已。

在去往游乐场上班的路上，我开始细细勾画，按照最坏的打算，一个月的时间，我可以做些什么。

银行卡上，有供我日常消费的钱，大概有八万多块，另外一份母亲定期打来的款项，我从来没有用过，大概也有十万块。我对钱没有概念，除了日常开销，我确实也没什么可以用的。

想起靳山说，如果他有五万块，大概就可以开始他的旅行计划了。

而他，和在这个城市中的很多年轻人一样，每月的工资只够开销，说迷茫，只是希望的生活好像永远无法达到又暂时没法改变罢了。

除了认真坐一次过山车，我试图在脑中列自己的计划，竟不知如何回答，难道要求助靳山："喂，我的脑袋要爆了，所以要做一些事情，你觉得应该做什么？"这样问是不是太傻？

当然了。

至于过山车，说出来大概未必有人会相信，像我这样的过山车管理员，竟然从未亲身尝试过。因为大概可以感受到，更何况，我也恐高，尤其对于这种急上急下的装置望而却步。

我笨拙地拿手机上网，好在依靠对说明书的记忆，这些技巧于我并不算难。到微博上，需要注册一个名字，可惜连代币都被抢注了，最后我只好叫川成31。

这么叫的来由，说起来可笑，大概一个月最多有三十一天吧。

川成31，在11月11日，发出第一条微博。"如果你只有一个月的时间用来记忆，你会用来做什么？"

记忆比较中性，不像消失不见之类或者死之类的话那么触目惊心，我想。何况，解释我脑袋会爆这件事儿确实太长，说了也未必有人相信，就权且当作一道趣味的问题算了。

然而并没有人理我，一个新注册的小号，发出第一句话，大概很难被人在意，何况我又没有什么朋友。

我想我悲伤的只是，我对这未来的三十一天毫无计划。

丁汐禾呢？如果是她，会是什么样的答案？那沉浸在真爱里的陈悟呢？想必是要和真爱在一起吧。

这样想着，下了地铁，想快步走到游乐场，迫不及待地要去以公谋私坐一次过山车，心情竟然轻快了起来，想来靳山又会念叨，坐进驾驶舱说："你小子发什么神经。"却在打卡处看到愁眉苦脸的靳山，他指指门口的通知，示意我看，通知：

各位游客，本园自即日起对部分大型设备进行检修，并将于本年度圣诞前重新开放，请您仔细阅读入园须知，因此造成不便，向您致歉。

八角游乐场

果然人生不如意十之八九，第一个也是最容易实现的计划，竟然就此夭折。

靳山打完卡，和我向旋转动力部的方向走，保安提示说是部长要集合旋转动力部所有的员工开会。他发出一声叹息，"又是故技重演啊，去年就这样。"他不满地说。

"什么？"

"到了最淡季的时刻，就要停止大型设备，要到圣诞节前再开放，说是设备检修，其实是为了节省成本。"他对此显然很不满意，"虽然我不喜欢做这个工作，但，被打乱计划总是令人讨厌。"

我点头，但对此毫无印象。

"那我们呢？"我的好奇在于，如果机器关闭，我们这些人如何处置。

　　"被调到别的部门，或者到闹市区发圣诞主题的广告，最烦了，我可不想到幼儿区和幼稚的孩子们做伴，连个美女都看不到。"靳山挠挠头发，似乎要抖搂掉这些烦恼，"当然，冬天了，整个乐园也没有美女可看。"

　　"去开会吧，不然，七顶部长又要发怒了。"负责考勤的人低声跟我们说。

　　靳山发出一声冷笑，显然对部长并不满意。按照我之前的记录，这位七顶部长从来不是为工作而存在，除了脾气暴躁，对员工侮辱和体罚也是常有的事。靳山常常出格，又不大服管教，自然与他不睦。

　　"这次工作调整，不知道他又会使什么坏。"靳山跟我挤挤眼睛，一副早已料定的样子。

　　绕过碰碰车区，果然看到旋转动力部的员工集合在过山车前的空场上。部长正站在队伍的前边踱步，又似乎在和前排的女同事说着笑话，女同事羞红了脸，但也只好跟着笑了一下。

　　部长看到我俩从远处走来，大声骂道："走快几步！慢腾腾的，难怪要被停工。"靳山鼻子里哼了一声，却将步子压得更慢一些。

　　部长当然看得出他的挑衅，显然不想在同事们面前丢了面子，又大声地点名喊道："靳山，你是故意的吗？每天好吃懒做，我看，最需要调整的就是你。"

靳山高举起手，大声说："是的，部长！"步子却并没有加快，部长没有再催促，任由我们慢慢进入队伍。

部长开始说话："每年到此时，都会这样，大家大概都心里有数，这也没什么，但今年，我们肯定不会放假，我也跟公司申请了，大家至少可以拿到三分之一的工资。"

大家发出一片哇的声响，整个旋转动力部大概四十个人，而今都穿着黑压压的工服，看起来毫无生气。靳山低声跟我说："喂，去年可是全额工资呢。"即使是低声，还是被前排的人听到，也附和说："是啊，什么玩意儿！"

部长不以为意，继续向下说："我们对所有人重新进行工作分配，毕竟这也属于正常的运行机制，大家不要觉得有什么奇怪的。"

然后，他从兜里掏出一份名单，开始依次宣读大家的分配去处，最后读到我和靳山的名字。

"林川成，宣传部。"

靳山低声说："宣传部，不就是去闹市区发小广告吗？"

"靳山，"部长停顿了一下，继续朗读，声音里大概有百分之七十的笑意，或者他对这个结果相当满意，"清洁部。"

然后，他环视一周，以示朗读结束："大家都听明白了没有？"

当然他也只是问问，并不真的在意我们是否听得明白，大概，像员工这样的生物，于部长看来，只是必须面对的工作之一，他日常对员工异常严苛，却并不是由于工作的缘故，何况，我们的工作也没有什么技术含量可言。

只有靳山一个人突然大声地喊道："没有！"

我捅捅他，示意他多说无益，可他竟然没有停止。部长惊讶地寻找声音来源，直到锁定靳山："又是你，靳山，你故意的吧。"

"为什么我被调到清洁部？"

"因为你工作三心二意，无故脱岗，不服管教。"部长似乎早就准备好了对策，只待靳山爆发。

靳山拨开众人站到了队伍前边："为什么我就要每次听从这样的安排？"部长显然没有反应过来，只好重复地问："靳山，你什么意思？"

靳山挺直了胸膛，再用力将工服撕开，用力脱下的同时，大声地回答："没意思！我现在辞职！"

我被现场的情况吓呆，但又觉得无法冲过去拦他。迟疑之间，靳山已经把工装摔到了地上，再坚定地看着部长。部长也被这种情况吓到，支吾了一下，又强装镇定地说："你想干什么？靳山！"

"不干什么，环球旅行。"靳山笑了一下，穿着单薄的长袖T恤，头也不回地直接向游乐场门口走去。

　　"环球旅行。呵呵。谁会信啊。"部长捋了下自己不剩几根又被刚才的慌乱震落的头发，像跟大家解释似的挺直了身体，显然很想快速结束这次部门会议。看靳山走得远了，他又大声说，"你这样的员工，老子一个都不想留。"

　　我呆立在队伍里，觉得胸口像被什么撞击了一下一样。我想回答"我信"，但是，我喊不出声音。

21.

"勇敢点，川成，去做你想做的事情吧。"

我是坐在驾驶舱里收到靳山的短信的。会议解散之后，大家议论纷纷，显然，这些议论也只是一时兴起。靳山，像所有意气用事的家伙一样，会被迅速忘记。至于我，则在解散的队伍中站了一下，再慢慢拾起靳山的工服，默默回到过山车驾驶舱。

我突然有点伤感，靳山单薄的身体，在冷风中走远的背影，深深地印在我的脑海中，而短信里的这句像雷声一样巨大，久久不能平息。

如果我告诉他，我不知道自己想做什么，是不是又会被他耻笑？

突然想起早上微博发布的内容，就拿起手机，发现微博已经被转发了七百多次，回复的消息也相当多，难道这个话题这么受欢迎？

我有点手足无措，这是多年间，觉得世界上无数的人，都在这个题目下边开始发表意见，而一切，都因为女作家和惠子的转发。

　　她冰冷如常，像我在书店里看到的那样。她转发时说："我想我应该保持现在的状态吧，一切如常，并没有任何一种记忆是奢侈的，尤其对于整个人生来说。"

　　我几乎要同意她的看法，显然，下边的留言并不这么认为。

　　"把各种卡的余额记一下，哈哈哈哈。——青菜阿拉蕾。"实用主义者们，认为至少要先把银行密码告诉家人，处理钱财并不困难。

　　"我想在山上生活，规律一点，最好一个月都不看手机，按时吃饭，好好睡觉，喝自己爱喝的茶，记住它们的香气，健身，减掉肥肉。——小井。"

　　"把父母接到身边并告诉他们这个消息，让他们接下来还像小时候一样看住我。——vikeyV"但她的观点立刻遭到了别人的反对。"这不等于养大你两次吗！想想都要哭了。"网友叫"刚刚好"的，在留言里表达着愤怒。

　　当然也有浪漫一点的，田小雨露说："做最奢侈的事，记一整本地图，轻易说出每一条河流的名字，背全套牛津词典，提高音乐水平，按照ABCDE顺序记住世界级的大师人名，以及了解他们的生平，还有，记住一整本植物学巨著，分清楚各种植物。"这对我倒不算难题，甚至在十八岁前，我都靠记这些打发时间。

　　"去一个近一点的，又没有去过的地方。每去一个地方和这里合照，写一段话给每一个你想念的人，然后定时寄出去。——Joyce young"

"花一周追到自己喜欢的人，然后剩下三周和她一起去三个地方：1.喜马拉雅雪山，2.夏威夷，3.大林波波跨国公园。然后回家。——莫莫。"

随后，他的回答就被人迅速否定了："如果一周追不到怎么办？"

"说得好像很有把握似的。"

"一个月都未必追得到呢！！！"有人甚至用三个叹号表达了愤怒。

留言还有很多，我像置身于巨大的声场之中，被留言狂轰滥炸，无法思考。

我放下手机，想应该把靳山的工装还回去，一个红色小记事本从工装兜里应声落下。

打开记事本，扉页上是靳山笨拙的字。

"没有什么是不可实现的，只要你足够坚定。"我想起他瘦削的身影，还有说"环球旅行"的时候认真的神情，为没有跟他好好交流过感到遗憾。

"你的本子落在工服里了。"我给靳山发去了短信。

"送给你吧，里边也没什么，就是一些乱七八糟的计划。"靳山回电话给我。

"你确定？"

"没有秘密啦。"靳山那边非常自然地回答，感觉像很轻松。

"那你现在准备干什么？"我问。

"哈哈哈。当务之急是买件衣服穿。"靳山大笑，电话里有风声传来，"觉得一身轻松了呢，还有就是，刚才，终于可以按下启程键了，订了去印度的机票。"

"环球旅行第一站吗？"

"第一站，边走边看。"

"呃，有空回来。"我说。

"好的。川成，很高兴跟你一起工作了这么久。"靳山那边的风声越来越大，这句话却清晰可辨。

"我也觉得。可惜了，我还想跟你做好朋友呢。"我这样回答。电话对面的风声越来越大了，靳山喂了两声，电话忙音，像被刮断了一样。

我心里想，希望他能听到最后一句。

将靳山的小本子放在双肩背包里，拿着他的工装去部长办公室交还，正好赶上宣传部的人过来找我，他是中年人了，看起来并不亲和。他带我到宣传部的办公室，眼皮不抬一下地说："喂。你，林川成，下午你要到市中心赤金广场那里发传单，下午三点到五点。"

"穿熊哦。"他补充了一句，用脚踢踢旁边那个一人多高的毛茸茸的东西。我看到一只白痴脸的大熊人偶，看样子正躺在地上休息。

"一共三千张，发完才可以结束，外边不方便去厕所，尽量少喝水。监察部的人会不定时检查，所以不能无故脱岗。"他又拿起一厚摞宣传单页，直接搬给我，看页面上写着"八角游乐场，圣诞换新装"的广告语，过山车和摩天轮也入镜了。经过美工的精心修饰，它们看起来异常华美，颇具震撼力。

我木然地接过这些，觉得反正无事可做，只好听任时间的安排。

"还有，好在天气冷，熊的衣服直接穿过去吧。别拿着了，太麻烦。"他又接着说，直接到办公室的里间去。我好奇地走近那只大熊玩偶，觉得它实在够滑稽，茸毛略显脏污之外，气味也没那么好。我拎起它的头部，再试戴一下，发现倒也不算太重，只是不大容易呼吸，透过嘴巴大概可以看路，只不过因为做了隐蔽的气口，看人有点儿影影绰绰。

门应声而开，刚才给我训话的人已经换了小丑的服装出来。他把头套戴上，立刻变成一个笑容亲切的小丑，原来，每天跟我打招呼的人是他。

可摘下面具，他似乎并不认识我。

下午两点，我穿着大熊人偶的连体服，手里抱着它硕大的头部，还有三千张宣传单页，坐上了去往赤金广场站的地铁。

　　路上，我翻看靳山的本子，发现他真的是另一个人。他对于旅行地点的甄选都大致做了攻略，包括每一站停留的时间，以及要做的事情，他有如此的计划性令我大跌眼镜，果然，在自己喜欢的事情上，怎么付出都不为过。

　　除了笔记，还有一些手绘的图。靳山虽文字丑陋，绘画能力却是极强，几十幅素描图中，尽是城市中的各个角落，其中游乐场的俯瞰图和赤金广场的"黄金街"更令人印象深刻，因为不仅详尽地描绘了各个装置和建筑物的位置，甚至连路边的报亭和垃圾桶都有详细标注。我想我之前真是误会了靳山，越是之前想象他的粗鄙，越是对现在的图画面红耳赤。

22.

到达地铁站之后，我逆着人潮上楼，想起那个丁汐禾走过这里的瞬间，心里惦记着是否有短信进来，但手掌被大熊人偶紧紧套住，我必须脱下整个手臂才能拿出手机，只好作罢。

风有些大，站在十字街头就更明显些。两条大街十字相交，又被四条斑马线切成工整的正方形，疾步走过斑马线的人潮如织，像河流被整齐地切断，又突然开闸流淌。赤金大厦坐落在十字街口的东南角，周围则被别的写字楼或者酒店包裹，只是在对面，未被改造的老城区已经提前闪耀起霓虹，游客们穿梭进入，发出惊叹。

那个片区未经改造，仍保留着老城区的原貌，与其他几个角落的高楼大厦形成鲜明对比，别有一番风韵。这也正是靳山笔下的黄金街，原来也算是商业街，后来改造时被刻意保留，到现在已经寸土寸金，开发商只好绕开，独留下这片古街，贩卖旅游纪念品还开上数个餐厅酒吧等，成为这大城市里一个特别的存在。

我回想了一下靳山绘制的街景图，吐一口气，戴上大熊的头套，然后立刻变成了一个有点受欢迎的人，哦，不，是熊。

　　走过斑马线的人遇到我，好奇地打量，但大部分上班族并不为此停下脚步，对我手中塞过去的传单婉言谢绝，或者收了，随便瞄上一眼，走几步就找垃圾桶丢掉。倒是有游客中的小朋友，要拉住我和我一起拍照。我想我应该憨态可掬，即便是十一月的天气，这样的毛绒穿在身上，还是有些微微出汗。

　　手里的传单发完，我蹲下身再来拿起一沓，因为手掌过大，这动作于我相当困难，更何况，风在这时突然加大，传单立即顺风飞起，像雪片般扬长而去。我想，我的样子一定极蠢，为了防止更多的传单被风卷走，我已经基本扑倒在地面上，还试图用胸脯压住它们。

　　我的补充动作是伸展手臂去捡周围的传单。

　　那样子，应该像一只熊在冰面上，将打起的鱼笨拙地保护和捞起。

　　然而没有人理我，高跟鞋和皮鞋先生们绕过传单，像怕踩伤它们，旅游鞋先生和太太们，则停下来拍照。我，林川成，终于狼狈地变成了都市一景。

　　控制好身下的传单，用双肩背包压住，我已经满身大汗，再看向前方撒满斑马线的传单，我想，不把它们收拾起来，估计管理员会过来骂人，以及被他赶走也说不定。

　　汗水流下来，我下意识地用手去擦，却被头套挡住，将头套取下抹了一把汗。一只拿满传单的手塞到我胸前，我摆正脑袋，抬头望去。

我和她同时张大了嘴巴，发出了哦的惊叹。

我想，一定是某颗星正在不停地逆行，以至于在这么大的一个都市里，丁汐禾和我竟又一次不期而遇。

而我，正抱着熊头满头大汗，又被心脏泵动血液的声音充满耳鼓，简直无法说话，我的脸不争气地红了。丁汐禾迅速恢复了平静，又看了一眼传单，再欢快地望向我，说："怎么，被贬下凡啦？"再转身走远几步，捡更多张回来，再塞到我怀里说，"还圣诞换新装！上次我去的时候怎么没有这么好看？"

我说："嗯，就是要检修，今天工作调整。"

丁汐禾穿得很朴素，黑色大衣，灰色围巾，看起来毫不生动，和她之前的样子不一样，甚至有点随意，头发被梳成马尾，脸上的妆也比较淡，像是故意低调才这么做的。"这得发到哪辈子去，我帮你吧。"她挪开我的双肩包，再拿起一沓传单，顺手向迎面的人塞过去，对方竟然没敢拒绝。

她向对方点头致谢，露出开心的表情。

"你不用上班吗？"我问。

"下楼走个神儿不行吗？"她冲我挤挤眼睛，将熊头套在我的脑袋上，"好好干啊，小孩儿。"

有她帮忙，速度当然快了很多，何况，因为她楚楚可怜的眼神，大多数人都会伸手接过传单，倒是我，依旧手忙脚乱，几次还是把传单散落到了地上。

到最后一张传单发完的时候，时间已经到五点钟，太阳开始低垂下来，风也变得小了些。我摘下熊头，看见丁汐禾的脸和手冻得通红。"谢谢你啊，不然我不知道发到什么时候去。"我边擦汗边由衷感谢。

"不用啦，你不也是我的救命恩人吗？"

我搔搔后脑勺汗湿的头发，说："哪里啊，天气这么冷……"

"冷点好，精神！你看你满头大汗的。"丁汐禾搓搓手，掏出纸巾给我，又在唇边哈了两口气，再把脸缩回围巾里，突然想到了什么，眼睛一亮说，"要不要吃雪上加霜？"

"什么雪上加霜？"

"哎呀，我带你去，走吧。"丁汐禾顺手从我怀里抢过熊头，趁着绿灯疾步向古街走去。

23.

说是"雪上加霜",不过是抹茶冰激凌店罢了。据丁汐禾说,这家店只有这个季节才不用排过长的队,招牌抹茶冰激凌每天只有一百零五支,卖完就收,绝不多售。

熊,呃,是我,我和丁汐禾赶到的时候,店主正在悠闲地玩游戏,见我们过来,懒懒地起身招呼。风大的原因,古街上人并不多,游客们躲过风,趁着黄昏时对着古街拍照。古街叫作黄金街,此时被巨大的夕阳揽住,倒真有黄金的质感。

一队小朋友咿咿呀呀地走过,看样子不过四岁或者五岁,显然被丁汐禾怀里的熊头和浑身是毛的我吸引,列队走过时纷纷扭过头来观看,噙在嘴里的手指伸过来,带着唾液拉出的丝,分外可爱。

丁汐禾把熊头戴在头上,冲他们发出低吼。小朋友们立刻乱了方寸,队形也七拐八拐,险些被她的吼声冲断。我拽住丁汐禾,冲着领队老师抱歉地笑。丁汐禾拿下头套,依然止不住笑:"小孩子们太可爱了。"

我吃着冰激凌，认真看向丁汐禾，阳光将她的头发染成金黄色。她应该是真的开心，眼睛都要看不见了，鼻子和眼睛都要皱在一起了。

"丁汐禾，如果你只有一个月的记忆，你会干什么呢？"

丁汐禾收住笑，认真地思考了一下。"你怎么会问这么变态的问题，"她说，"生小孩儿？好像时间不够。"她几乎在喃喃自语。

"哦对了，有一件事儿我必须干……"她说。

"什么呢？"我刚想追问，突然听见古街更深处一声大喊，"着火了！"浓烟似乎来得更快一些，之后是火的味道从街的那头扑过来，四周警铃大作。我镇定了下，看到火舌已经蹿上了一个屋顶，随即叫嚷声四起，很多游客正在往古街外冲过来。

"小朋友们，别乱跑。"几乎是哭喊的声音，夹杂在一群小孩儿的哭叫声当中显得分外凄厉，按照刚才的时间推算，小朋友们大概正在失火的核心区域。我和丁汐禾对望了一眼，是啊，那有十多个小孩儿啊。

"你待着。"我和她几乎同时脱口而出。

我脑中全是靳山手绘的地图。根据目测，这个区域有多个贩卖小商品的商铺，大概分为五纵，五纵对面，是三条巷口，可通向十字路口及古街深处，误入其中可能很难返回，加上狂风卷起浓烟，现场一定很难分辨方向，小朋友一旦受惊四散，情况会更加难以控制。

丁汐禾冲着我喊："你这一身毛一会儿烧成黑熊了，我天天来这儿，路我熟悉。"逆着人流冲向古街里，甚至连熊头都没来得及放下。

"喂。"我对她的鲁莽怒不可遏，环顾四周，鲜花店的门前放着大桶的玫瑰。我把玫瑰直接从桶中捞出，将熊掌浸湿，花店老板发出惊叹，我冲他说了声谢谢，然后，将半桶水兜头浇下。

冰凉的水浸湿了大熊的身体，让跑动变得更加困难。我弯腰贴墙向前走，再用熊掌捂住自己的口鼻，前边的丁汐禾早已不见踪影，让我更加慌张，再往前，浓烟已经基本笼罩了整条巷子，有人不断从古街里冲出来，差点撞上我，又旋即消失不见。

眼前就是那条五纵的商业街铺，我闭上眼，捂住口鼻，靠在墙上强迫自己冷静，脑中终于浮现出靳山的素描街景，前方向右，第一纵。我决定按照之字形，对五纵街铺做逐一排查。

深呼一口气，闭上眼睛，我冲进了浓烟里。

第三纵的时候我发现一个贴地的小朋友，他正趴在地上抽泣，浓烟让他发出干燥的咳嗽声。我将他拉起揽入怀中，再做之字形。第四个商铺下，被火苗包裹的商铺底下仍有一个小孩儿，我抄起她，转身向外钻出，商铺应声倒地，溅起无数火星。

"丁汐禾！你在哪儿？！"我高声大喊，却无人回应。四下里浓烟再度席卷而来，被古建筑围成的小广场显然成了火场，加上巷口的通风效应，整个露天商铺区简直烧成了灶膛。

腿上的绒毛被火星灼伤，再被热风一舔，立刻燃了起来。我跪倒压灭了火，再抱起两个孩子，眼睛火辣辣地疼。街铺里气味刺鼻，那些琳琅满目的纪念品，丝绸、扇子全都成了助纣为虐的工具，借着风势烈烈燃烧，发出噼里啪啦的声响。

我大喊："闭上眼睛，孩子们。"将他们的脸埋在胸前，腰弯到尽可能低，直接冲到第三条巷子里，这应该是最短通往马路的通道。

冲出烟雾，消防车、救护车已经呼啸而来。十几个惊魂未定的小朋友抱成一团，身边是哭得泣不成声的领队老师，看我抱孩子出来，忙冲过来接过孩子。

"还有孩子在里边吗？"我问。

"还差……一个。"

我转身冲向巷子，却被一个消防员拦住："你没有装备，不要进入。"

"我记得往里边的路，比你们熟悉。"我强词夺理，试图挣脱开他，心里只是牵挂着丁汐禾。这个没脑子的女人，为什么要在这么危险的情况下假装英雄！还说什么熟悉这里！

"不可以，请你配合。"消防员斩钉截铁，大手钳住我的肩膀，让我无法挣脱。

"配合你大爷啊，我女朋友还在里边。"我厉声说道，几乎要哭出来，再努力试图挣脱甩开他的手。

他按住我，尽量让我不动。我的愤怒正在逐渐积攒，各种愤怒的场景交叠在一起，合成一个崩溃的瞬间，我的头要爆开了。

"喀喀，谁是你女朋友啊，林川成。"从四巷口冲出来的丁汐禾，怀里抱着一个熊头，熊头里坐着一个小女孩儿，脸上全是黑灰，正不停地咳嗽。

我努力将情绪控制住，冲过去，大声说："你这个女神经病！"

丁汐禾扑哧一声笑出声来。

"亏你还笑得出！！！"我简直气急败坏，"你知道刚才多危险吗？"

"你知道你现在多好笑吗？"丁汐禾没被我的气愤吓到，反而笑得更开心。

半个小时之后，在镜中看到像熊猫一样的我，还有烧焦的头发，我才知道当时发怒的我有多么值得哈哈大笑。

这是我和丁汐禾最开心的一个瞬间。

而现在，我和她坐在马路牙子上喘气，晚霞正好，消防车洒出的水雾竟散发出迷人的黄金的光泽，而熊头在脚边，露出呆萌的笑脸。

我说："丁汐禾，我第一次觉得离你这么近。"

"近吗？"她侧过脸来看我，再挪得离我远一点，"还近吗？"

"还近。"

她再挪远一些："还近吗？"

我点点头笑了，心中被填满了一种饱胀的情绪，类似于失而复得："认识你之后，人生还真是有趣啊。"

24.

我的一个秘密，现在变成了两个。

坐在街边的我和丁汐禾，大概在刚才某一刻达到了某种心灵的共鸣，而现在，夕阳落下，我似乎又恢复到之前那个木讷笨拙、不善言辞的林川成。昨天的不欢而散还在脑中盘旋，此时的我，根本不敢问出下一句"一起吃饭吗？"好在我现在正打着哆嗦，大概面无人色，刚才那桶水，结结实实被风冻结在了我的身上，让我无力动弹。

丁汐禾看向我："刚才你是问我如果有一个月的记忆，我会做什么吗？"

我强打精神点头，头疼让我无法思考，寒冷似乎一下袭来包裹了全身，连呼吸都变得不那么平顺。

丁汐禾好奇地看着我："这问题有那么吓人吗？"她挪过来，睁大眼睛看我，再伸出一只手，按住我的前额，"你怎么这么烫？"

我想，如果我有机会讲给别人听，一定要告诉他，命运待我不薄，我和丁汐禾的故事，几经反转，我——终于发烧了。

久违的高烧突然来袭，像一群屯兵码粮做了无数准备的士兵终于看到攻城的信号弹，开始发起战略性总攻。现实状况则是，被扒掉熊皮的我，由丁汐禾扶着上了出租车，直奔最近的医院。

"美女救狗熊。"我在出租车上喃喃自语，应该是烧糊涂了，请大家权且把它当成一句玩笑。

"一点都不逗好吗？"可以感受到丁汐禾的焦虑，似乎也在试着举重若轻，"这么大个子，说烧就烧，跟刚才那黄金街似的。"

我苦笑，头昏昏沉沉的，有点抬不起来。

到医院分诊台前，大夫看到我俩的样子，目瞪口呆。确实，两位勇敢的青年，在经历一下午的街头大风和刚才火场的洗礼之后，确实有劫后余生的既视感。

"大夫，他发高烧。"丁汐禾立刻明白了大夫的迷惑，吃力地扶我到候诊沙发上休息。大夫站起身看我："哟，烧这么厉害，头发都着了？"

这一下，丁汐禾笑了出来。

好吧，你也是一个幽默的大夫。

上午我还在思考做什么有意义的事情，包括此前从未有过的体验，而今，我将增加人生中除了恐高之外的另一个恐怖体验，打针。

这个无法排解的人生痛点，在一岁时形成，那个护士剪短发，看起来甜美干练，后来我收回了这种想法，因为，她在我头皮上寻找血管大概花费了五分钟，刺了七针。而现在，超忆症患者林川成，无法管理这些记忆，它们正借助"肌肉注射"这四个字，带领水痘疫苗、肝炎疫苗、脊髓灰质炎疫苗、感冒发烧臀部注射等二十五年来所有的注射体验，在我的头皮、左右胳膊、臀部无数痛点上产生协同作用。

我现在要承认，所有心里的痛苦都是做作，人生真相是——肌肉注射最痛。

我不禁在医院的走廊里惨叫了一声，当然，这吓到了我身边的丁汐禾。"喂，这可还没打呢！"丁汐禾白了我一眼，显然对我的这声惨叫并不理解。

幽暗的走廊七拐八拐，终于到达注射室。丁汐禾说："我在门口等你，一下的事。"甚至，她还带着笑意，深沉地握了我的手。

我只好极其不情愿地挪进注射室。好吧，又是一位短发的护士，或许是高烧的缘故，我竟然觉得她和当年的那位长得——差不多。

当然，她的技术没有那么差，冰凉的酒精接触我臀部的一瞬间，我的所有疼痛再度集体回来，当然，这一声惨叫，让她不得不停下了正准备扎下去的注射器。

丁汐禾在门外小声地问："这么疼吗？打完了吗？"

"根本没有。"护士冰冷的声音在身后传来，"你第一次打针吗？"声音里带着双倍的好奇和揶揄。

"如果我没有记错，应该是一百一十五次。"我心里回答，眉头紧锁，"我只是……注射恐惧症。"

"并没有这种病症，先生。"护士显然很年轻，乐意在我面前展现一些医学知识储备，"从某种意义上说，现在年轻人讲的什么密集恐惧症、幽闭恐惧症都不算病症。"

她再度拿酒精棉擦拭我的皮肤，我的惨叫则再度原版放送一次。

"你还可以吗？先生？"她的忍耐到了一定的限度，我想。

"要不你进来陪他一下。"她打开门自作主张地跟丁汐禾说。

"哦，不。"我必须拒绝，这真的是一件丢人的事情。如果现在我手边有忘掉记忆的药丸，我一定毫不犹豫地大口吞下，因为我，林川成，一个二十五岁的冷静青年，竟然因为肌肉注射需要一个女孩来陪。

而此刻，她已经蹲在了诊疗台前，眼睛有力地看着我说："乖，不疼，一下的事。"眉梢眼角全是笑意，而后，她做着鬼脸按住了我的手，迅速地向护士做了一个手势。

来不及惨叫，针头戳进皮肤并从后背传输到全身。我看着丁汐禾的笑脸，终于还是没忍住这声惨叫。

如果我可以分拣记忆，它一定需要即刻销毁。

走出门的时候，我竭力保证自己有个良好的姿势，显然，真实和记忆的双重疼痛，依然让我看起来像个超级白痴。

丁汐禾边笑边扶住我："救孩子这么有力，打个针跟被杀了一样。"

"有个请求。"

"说。"

"打针的事，请当成秘密。"

"哈哈哈……尽量。"

我苦笑着，却也无法辩驳。我想，超忆症带给我的困难已经开始显现，即便现在我心中，除了羞赧，还有被丁汐禾陪伴的喜悦。

当然，在回去七拐八拐几乎迷路的时候，我奇怪的脑袋迅速帮我们找到了方向。

丁汐禾叹为观止，表示："林川成，你在某些方面还是挺像个男人的。"

"本来就是啊。"我说，发烧好像好了大半。

我有一个秘密，呃，现在变成了三个。

25.

到家门口的时候，我差点走进自己的家，但想想，可能陈悟正在家里四脚朝天，只好去他的家门口。丁汐禾执意要送我，一上车就睡着了，我想，有力的人大概都可以做到秒睡，以此迅速补充刚才耗费掉的精力，并用于立刻生龙活虎，而像我这样镇定剂一般的人，则醒来和睡去的过程都比较长。

在路上的时候，她安静地睡着，和我保持着大概十厘米的距离，头发很乱，脸上有一些灰烬，大概被她用手背抹过，看起来半个脸颊都是黑的。她的头在后边座位上摆来摆去，有那么一个瞬间，她的头就要靠在我的肩上了，又突然向另外一个方向倒去，如此反复。我的心提到嗓子眼，觉得，万一靠过来我还真不知道如何应对。

最终，她在路口的时候头撞向右侧的车门，我只好尽力地伸长手臂，在她脑袋碰到车门的瞬间扶住了她。

认真看着她，觉得过于仔细，又不好意思。她鼻息平顺，睫毛浓密，嘴巴微微翘起，看起来有点倔强。我僵直地伸开左臂，又怕压住她的后背，手臂就形成一个倒写的v字形，看起来格外蠢笨。

在她醒来之前我迅速收回手，做若无其事的样子，下车的时候我的肩膀很酸。

现在，我站在门口，请求她给我三分钟。

"干吗？有什么见不得人的？"丁汐禾恢复了神采，满脸疑问。

"拜托。"我仓促地鞠躬，按开密码锁，关上门之后迅速平息心跳，这里，确实跟我林川成格格不入啊！迅速收了所有在桌上的烟，开过的酒，吃了一半的泡面、杂物，再迅速关上卧室的门，以免豹纹墙纸影响到她对我的看法，厨房里的锅还泡在水里，发出油腻腻的光，洗手间，我的天，还是请她不要进入为好。

再度开门的时候，丁汐禾手里多了两包速食面和一袋青菜，里边还有一盒鸡蛋。

她把手里的东西塞给我，说："厕所厕所，我快不行了。"

我根本没有机会拦住她，她已经冲进了我的……是陈悟的厕所，然后她哈哈大笑。"林川成，你真的……是……让我刮目相看。"我想，确实，我也曾对陈悟刮目相看。古希腊式的洗手台，乱七八糟的化妆品，极尽奢华的黄金马桶，复古浴缸，以及被包裹成罗马裸体雕塑的淋浴间，几乎是一个最贵卫浴用品展示的样板间。当然，作为卫浴行业领头企业老大的儿子，这样的装饰并不为过……

她洗完手出来，又顺手挽起袖子："你站着干吗，我保证不笑话你，只是觉得你够逗的……富二代干吗去发传单？"

"呃……"

"呃什么呃，赶紧床上躺着去。"然后她钳住我的手臂，直接把我往卧室门口拉。我想想那间房里的豹纹，再想想那华丽复古的大床，连声说不。"我感觉好多了，我在沙发上靠会儿就行了。"

"你，我看还是赶紧去洗个热水澡吧，把身上湿了的衣服都换下来，我来煮个面，快饿死了。"

我再度被推进奢华无比的洗手间，而丁汐禾已经转身到厨房，开始和洗手池里用过的锅决斗。

"林川成，你还可以更懒点吗？"她发出赞叹一般的声音。

热水淋下来的时候，我第一次由衷感到热水澡的珍贵。它们敲打我的身体，再从上而下，带走我的寒冷、焦灼、不可预期的恐惧。我想我可以修正我追寻的所谓有意义的记忆，它可以如此日常、简单且平凡，当然，这里必然要包括一个在煮面的丁汐禾。

换上干净衣服的镜中的我，看起来是个轻快无比的年轻人，固然头仍在持续疼痛，让我无法集中精神。

　　厨房里，正在等待水开的丁汐禾陷入了沉思当中，状态如同念了咒语必须依靠注视水才会迅速沸腾，但似乎水并不在意，要慢吞吞地消耗她的耐力。

　　她显然没有想象中那么麻利，撕开速食面袋子的时候，几乎让内容物全部掉出，再找出面饼扔进锅内，像对方是一只咬人非常厉害的鳖。她打开两个面饼，用筷子搅动它们，到它们呈现面条的形状，再着手对付鸡蛋。锅沿上敲碎它们时显得过于胆怯，第一下完全不破，第二下又用力过大，以至于一半蛋壳滑入锅中，让她发出小声的尖叫，这显然需要让她集中全部精力，终于把鸡蛋搞下锅之后，她才想起青菜没有洗，背过身去，双腿并拢，脊背挺直。

　　她专心沉浸于煮面这件事当中，让我觉得此刻告诉她锅沸了是一种打扰，好在她发现了，把洗好的青菜扔进去，拱起的泡沫应声落下，像被冰水泼头的狂欢的人群。面熟了的时候，她颇有成就感地关火，香气已从厨房里溢出来，让整个房间变得暖意融融。

　　丁汐禾的战斗仍在继续，将面分成两碗像个巨大的工程，需要她运筹帷幄。不幸的是，还是有个荷包蛋滑到锅外，她放弃了，用手把它抢救到了碗里。

　　我回到沙发上坐好，用手不停摆动额前的头发，希望自己看起来精神好一些，头仍昏昏沉沉，但不至于让我倒下。

丁汐禾端着面出来看到我，再次笑出了声："林川成，我都要看到你八岁时候的样子了。"忙不迭地放下碗，她接着说，"为什么每个男人，病了的时候都乖得跟小孩儿一样？"

大概她知道自己失言，有点不好意思，我想她大概也经历过和前任同样的场景，心像被针轻刺，发出一声沉默的泄气声。她眼里的光暗了一下，旋即恢复如常："赶紧吃吧，今天这一天，可真是太丰盛了。"

我想，她说的或许不是面，是啊，今天格外长，而面，从没有如此香。

丁汐禾说："冰冻的西瓜、感冒中的热水、没有什么可吃的时候煮好的方便面，都是最治愈的东西。"我点头称是，心里想，我还要补充一个，是——被水淋过之后的热水澡。

收好碗筷，丁汐禾摸我的额头，说："还是有点烧啊，需要大睡一觉，我也准备走了，你好好休息。"她准备离开。

"晚上万一再烧起来怎么办？"她和自己的想法作战，最后做了决定，"算了，我今晚睡沙发，你有事儿随时叫我。"她坚定地说。

"这……"我内心有小小的兴奋，但又迅速被不好意思镇压，"不好不好，我肯定没事儿，你这样，也休息不好啊。"

"得了，别想多了，我们也算是一起救过火的人了，你一个人在这里我也不放心，给我找件你的大衬衫来。"

我点头称是。

衬衫并不能让她满意，我也不满意。

她说："林川成，这衬衫倒是很配你的马桶啊。"此时，那件陈悟的金色长款丝绸衬衫，正明晃晃地披在她的身上。她刚洗过澡，头发半干，脸被蒸汽晕染过，白皙明亮。

我不好意思地挠头，她绕过我，坐在沙发上拨亮手机："几点钟的闹钟？"

"呃……"我发出迟疑的声音，心想，对我这样没有睡眠的人，其实闹钟毫无意义。

她急不可待，用下巴向我表达询问。

"那就八点吧。"我说。

"行，就这样。还傻站着干吗？给我拿床被子啊。"

我急忙打开衣橱，看是否有备用的被子。她说："那儿，那儿，"指着最上边的一格，"这到底是不是你家啊。"接过被子，再把我推向卧室，打开门说，"快睡吧，小孩儿。"

她还是不可避免地按亮了卧室的灯，满墙的豹纹壁纸让她暂时惊呆了一小下，又扑哧一声笑出声来。"对不起啊。"她说，强忍住笑扭转身去，双肩因为憋住笑不停地抖动。

我万念俱灰地钻进被子里，跟她说"晚安"。

她终于笑了出来："林川成，我从来没有觉得，和一个男孩儿一起过夜如此安全。哈哈哈哈哈。"

"为什么？"我愚蠢地问。

"豹纹墙纸和这丝绸衬衫啊。"她笑着说。

我从没有在这一刻，那么需要睡眠。请，一棍子，将我，打晕在这豹纹的房间里，好吗？

26.

丁汐禾没有再说话，她看了一会儿手机，随后沉沉睡去。

我拨亮手机，不敢发出声响，再到自己的那条微博下看看，转发已经到两千次，评论仍在持续增加。

我想，所谓意义，大概此刻与彼刻不同。我记下的那些文字、诗句，记下被赞美的山川河流，那些庞杂的日常，被呼唤名字的瞬间，被尴尬包裹的某一刻，或者被针刺痛身体的每个零点一秒，大概都可称为意义，并将我变成我。

而今天，意义在于，我和丁汐禾的靠近，像两个人共同面对着这个世界。

作家和惠子的微博上，有她更新的博文。她说：你遮蔽了一半的你，他又收起了一半的他，这是恋爱刚开始时的状况，剩下的都靠想象补足，如同冰山下沉入水底的部分，所以，当爱变得糟糕的时候，并不是爱变坏了，是真相本就如此。

关掉手机，今天的片段在黑暗中纷至沓来，并以慢动方式呈现。我尽力减少翻身，怕惊动了在客厅的丁汐禾，或许是刚才的针发挥效力，竟有困意涌上来。

　　我竟然有了非常完美的一觉，没有头疼，没有做梦，没有任何干扰。被丁汐禾闹钟吵醒的时候，全身轻松了很多，伸展身体站起来走到客厅，看她仍在睡着，鼻子抽动一下，再昏迷状地按掉手机闹钟，继续埋头大睡。

　　我洗完脸，打开冰箱找出鸡蛋，我煎了两个蛋，把面包切开，把牛奶热好，倒入杯中。再到客厅的时候，丁汐禾已经大喝一声坐了起来，坐在沙发上睡眼惺忪地看看我。

　　然后她用双手盖住脸，说："看过我卸妆后样子的人，日后都将被一一杀掉。"

　　"我自己解决，不用劳你动手。"我转身到餐厅，把早餐放下，我竟应付自如，自己都要在心里为自己点赞。

　　阳光晒到了她的脚，她看着某处，似乎精神还在环游之中，她用刚才那声大喝给自己鼓劲儿，再用煎熟鸡蛋的香气引导自己完全醒来。我看着她，不禁笑了，觉得我们认识了很久，这当然只是错觉罢了。

　　丁汐禾站起身，在沙发前伸展身体，像一只懒散的猫，再跟我说："你好了吗，林川成？"

　　"基本好了，而且不知道怎么了，昨天，我睡得特别好。"这是实情，我必须暂时忘却我的大脑是将被水充满的气球。

　　她去洗手间洗漱，水声哗啦啦的，大概掩盖住了我的回答。

"我也是，睡得太好了，像氧气很充足。"她大声地说着，从洗手间出来，完全恢复了原状。

我们俩坐在餐桌前吃早餐，她好奇地问我："你怎么不吃煎蛋？"

"我不吃很多东西，而且……"我说出实情，对于我这样一个设定奇怪的年轻人，很多食物让我望而却步，并且我也很难理解，那些餐厅的门口总是门庭若市。"煎蛋看起来挺可怕的。"我说。

"这有什么可怕的？"丁汐禾用叉子叉破另外一只，蛋黄迅速流了出来，我立刻说："你看，这种状况，真是令人不安，还有，被放进油锅的那一声，真是让我毛骨悚然。"

"那还不是你下手煎的？"丁汐禾喝了一口牛奶，眼神里全是好奇。

"我抗拒一切可以拟人化的食物。"我说。

"什么意思？"丁汐禾追问，"比如什么？煎蛋是什么？"

"被敌军挑破腹腔的炊事班战士。"

"牛蛙呢？"

"被逼跳入红油里的国家游泳队。"我真的这样想过。

"哈哈哈。"丁汐禾发出大笑，"还有什么？"

"我最匪夷所思的是秋葵，怎么会有人吃这种食物？"我继续说。

"那像什么？"丁汐禾继续问。

"身材很小，但像吐着黏液的绿色僵尸外星人。"我很快回答。

"被你说得，我都不敢吃这个炊事班战士了。"丁汐禾冲着餐桌上的煎蛋做鬼脸，又看向我说，"不过，描述得很准确，林川成，你还真是够奇怪的。"

"哪里呢？"我心里想着。

"过山车管理员，穿PRADA大衣，开奔驰车，坐地铁，住公寓，家里装修得跟中年人一样。"丁汐禾声音很低，大概想厘清我之于她的系列印象，"不善言辞，可内心又这么丰富，而且，看起来像有什么秘密。"她眼珠转动，再看回我，像要看穿我的内心一般。

我垂下眼帘，不知如何和她对视。

可你，丁汐禾，不是一样吗？我还不知道你是谁、多大年纪、什么职业，却已经和你像老朋友一样。

"你很奇怪！"她做结案陈词，接着说，"更怪的是你的头发，这两边和后边全都烧焦了，怎么见人？"

下一个时段，我坐在穿衣镜前，而丁汐禾手拿剪刀，正在对着我满头被火燎坏的头发运气。

第一剪下去之后，她似乎找到了信心，头发掉在我肩头的报纸上，发出轻微的声响。镜中的丁汐禾非常认真，像对待一件艺术品，但其实她的手艺很差，尤其是，除了消灭掉燎伤的头发末端之外，她开始有给我做个发型的想法。

"喂，丁汐禾，请你不要自由发挥好吗？"我觉得自己的保护伞要被她剪烂了，尤其是前额的部分，现在已经参差不齐。

"别乱动，一会儿就好。"

"喂。真的不可以。"

"这不是挺好的嘛，干吗挡住啊？"

"救命啊，不可以。"

是门的密码锁被打开的声音，代币和陈悟应声而入，然后俩人，呃，不对，两个家伙同时被眼前的景象惊呆了。

我，林川成，正和一个只穿着丝绸衬衫的女生在客厅里——剪头发。

而刚才发出救命的呼喊的，真的是我吗？——林川成，一个被叫作"镇定剂"的年轻人？

27.

我对陈悟和代币的表现非常失望，因为他们的表现显然像撞破了我的奸情，而非听到救命声好奇地进来查看。更过分的是，他们根本不容得我礼貌简洁地介绍女主是谁，就仓促地关上门退了出去，陈悟还匆匆地说着："你们继续，你们继续……"

停下剪刀的丁汐禾，看着镜中的我发出怪笑。

"男朋友啊？"

"并不是！！！"

"别动，完蛋，又剪错了。"丁汐禾惊叫一声。

我只好任人宰割，像秋葵、牛蛙、煎蛋，一切可以拟人化的食物，而丁汐禾，是菜刀、红油、刚刚烧烫的平底锅，将我切开、洗净、翻转。

短发版的我让我非常不习惯，不习惯到——绝望。但丁汐禾说："你看，这样露出额头，人精神了好多。"

"确定吗？"镜中的我垂头丧气，没有刘海儿的我看起来毫无安全感，只是空空的额头似乎让我面目清楚，只是不大适合隐藏于众人中。

"是啊，简直可以说帅。"丁汐禾凑近镜子与镜中的我对视，脸竟然微微红了一下，转而变得明朗，像想起了什么，"几点了？"

"九点半。"

"完蛋，要迟到！"我们俩同时一跃而起。

在地铁口说再见的时候，丁汐禾挠了挠我的短头发，说："好好工作吧，小子。"

"喂，我并不比你小啊。"我说。

她并不回应，转身灵巧地走开，再回头看我一下，把头发从系好的围巾里拉出来："晚上一起吃晚饭啊。熊。"

嗯。我用力地点头。太阳很暖，虽然冬天早就正式来了。

在地铁上，我默默回想着这两天发生的一切和很多个第一次，觉得自己再也无法恢复如常。我再仔细想想自己的脑袋，觉得被水充爆像是一种错觉，甚至不再恐惧。我在早班的地铁上，找到了那首"what's up"，耳塞里的她们唱着"那又怎样呢"。

是啊，那又怎样呢。

如果找到真正的意义，大概连辞职这种动作都不用做，我想，更何况，发传单的位置就在丁汐禾的工作地点。

虽然穿成熊有点丑。

喂？林川成，你的熊呢？！

"昨天，我发传单的时候救了火，所以，熊被烧了。"大概这样的解释会换取一点同情分，毕竟我是见义勇为嘛。我详细描述昨日情况的时候，心里有三分小骄傲，只减去了我能记住地形图的部分。

而我暂时的领导——宣传部的森鹤先生，听完我的故事，坐在办公桌前，紧锁眉头说："你怎么不说你自己是超人呢？你还狗熊救美了？"

同在办公室的小丑兄被这揶揄逗笑了。"不过昨天确实黄金街着火了。"他笑完补充了一下。

"笑什么笑，不好好发传单，去救什么火，多危险！更何况，这是损害公司财产。"森鹤先生瞪了他一眼，无心恋战，冲着小丑说，"你去看看还有什么可以用的。"

小丑走进道具室，拉出一只鸡来，只剩下它了。

"这也太难看了吧。"我喃喃自语。

"难看？好看的不是被你烧了吗！"

为了防止森鹤先生大怒，我只好拖着鸡逃出了办公室。

昨日的大风把整个城市的云都带走了，只留下蓝天和更冷冽的空气。中午，我买了三明治和矿泉水，坐在丁汐禾楼下的广场花园的长凳上吃午饭，旁边是那只奇怪的公鸡人偶。它浑身赤红，肥厚的臀部插满羽毛，鸡冠子和脚则是明黄色，显得异常硕大，穿起来应该非常滑稽。

因为脚掌过大，走路必须抬得非常高，呃……穿上后……比我想的滑稽多了。

何况，我还要用我的翅膀，将传单分成单页，再塞给行色匆匆的人群。一只勤奋的鸡，竟然比熊更容易赢得好感，我惊喜地发现，因为今天，或许只是天气好些的缘故，收我传单的人变多了。

马路的斜对角，就是昨天失火的黄金街，如今被警戒线拉出隔断来，又迅速用巨幅广告展板遮挡，完全看不出刚刚失过火，甚至昨天消防水龙冲刷过的地面，都被大风和太阳合力甩干，不见水浇过的痕迹。

红灯的时候，我望向身后的赤金大厦，想丁汐禾就在这其中的某一间，虽然我仍不知道她在做什么。

今天进行得格外顺利，中间休息时，我收到一张图片，来自丁汐禾。镜头从高空俯拍下来，一只红色的鸡站在斑马线上，望着天空发呆。

"是我。"我回，心中竟然有一丝甜蜜。

"真难看。"她快速回复，后边还有一个笑脸的标志。

哈哈，真是不留情面。

整个下午，我都是一只欢快笨拙的公鸡。

七点钟，整个城市像换了新的幕布般，有了新的模样，丁汐禾欢快地从楼上下来，一刻没有停止对我的嘲笑。以至于我提议去喝杯咖啡的时候，她跳开一米远，说："敢穿着鸡去吗？"

"有什么不敢的。"我逞强，但想起我肥厚的屁股和羽毛，就立刻觉得羞愧。

"别赖皮哦。"她笑了一下，拉起我的翅膀，"这样不热吗？"

"比熊稍微舒服一些。"

我和丁汐禾并肩走进星巴克，想来，当年她和那个叫健的也曾如此欢快。进店的时候店员大声招呼，然后看到宽大的我，发出"哇"的惊叹。我把鸡头摘下，整个脑袋暴露在众人的目光之下，心跳如鼓声擂响，这超出我日常的体验，但我竟觉得无所谓。

一个不复存在的被水充爆的脑袋，到底需要记多少有意义的事情？如果竟然用来记当"鸡"和陪着她买咖啡，会不会被陈悟大骂愚蠢？

"双倍焦糖摩卡。"我和丁汐禾同时发出声音，她稍微停顿了一下，像被什么突然击中了。

更何况，我后边还无耻地说："加海盐最配了。"我想起被健涂过的名字，有十毫克报复的快感，之后，一吨重的羞耻迎面扑来，集合我从小到大以来的自作聪明，甚至一年级迅速背过拼音表时的沾沾自喜全部呈现出来。

我看了丁汐禾一眼，再若无其事地转过头去，她回头寻找我的目光，被我躲开了，我拥有了第四个秘密，希望她当这只是巧合，永远也不要知道。

"盐能激发焦糖的甜香，口感里就又多一层了，不过，林川成，你又让我大吃一惊。"丁汐禾像喃喃自语。

"我瞎说的。"我想搪塞过去，好在咖啡已经做好了，"我们坐外边吧，屋子里太闷。"

一只鸡和丁汐禾，在泛着暖黄色灯光的咖啡店外，看起来像奇怪的组合。户外开了暖炉，我和她交换座位，让她靠得离火更近一些，她像在想什么事情，目光投向很远的地方。

"林川成，你多大？"她突然问我。

"二十五。"我对这个突然的问题有点惊讶。

"比我大一点，可你很奇怪，有时候又像个老年人，有时候又像个小孩子。"算是对我的评价吗？我不知道。

她似乎有些怅然，又或者，她在物是人非的咖啡店，被这双倍的拿铁和海盐再度敲打了一下。

我沉默不语。

"其实你知道吗？这家咖啡店，我和他经常来。"她终于说到了正题，像兜了一个圈，最终又跑到起点那里，"有一次，我在咖啡店的本子上写了东西，签了名字，很幼稚那种。"她似乎在自嘲，轻轻笑了一下。

"我逼着他签名字，他签了，后来我知道，他又涂掉了，但我装作没看见。"她眼里有一些苦楚，但一闪即逝。

"我那会儿有点难过，又忽然觉得内心平静，因为我也可以视而不见、听而不闻，变成另外一种人了。"

我的手机在这个时候该死地响了起来，是陈悟。我笨拙地脱掉一只翅膀，从兜里摸到手机，再从脖子里塞出来接听："喂。"

"你什么时候回来吃饭啊，死鬼。"陈悟拿腔拿调地跟我开玩笑。

"你管我……"我竟如此无力。

"天哪，这么快就有了新欢要摆脱我啊。"陈悟继续捏着鼻子说话。

"你别闹了，陈悟，有什么事？"我的尴尬已经燃烧了整个鸡外套，再看丁汐禾由阴转晴的坏笑，真想立刻把陈悟从电话里揪出来，再用我的鸡爪子踩死。

"没什么，约下你的时间，周日，来我家吃饭，她做。我一个人太孤单，你必须出席。对了，还有你那个同居的新女朋友。"

"并不是。"我连忙解释，可又觉得太长。

"那你先确定好时间，周日晚上我家，哦，不，是你家。"陈悟连声说。

"好好好。"挂了电话，正好迎上丁汐禾似笑非笑的目光。

"男朋友？"她憋住笑问。

"你想到哪里去了，不是不是，是好朋友。"我慌乱得鸡毛乱颤。

"怕什么啊，我又不是情敌。"她终于还是笑了出来，似乎为了保险，又加了一句。

"呃……"我蹩脚的表达能力，总是无法派上用场。

"好啦，不开你玩笑了。"她拍拍我的肩膀，算是帮我解围，目光又转到我的手机界面上，"你还玩微博啊？林川成。"又好奇地凑近看看，"你还就叫林川成啊。"

"我不大懂，刚刚注册。"

"我帮你吧，笨死了。"她拿过手机，大概又觉得在自作主张，"可以吗？"

"求之不得。"谢谢成语，算是一种简练恳切的回答吧，我想。

"星座。"

"金牛座。"

"年龄……是二十五岁。"

"恋爱状况？"她边打字边问。

"单身。"

"噗，是异性恋吗？"她还是笑了出来。

"是是是……"

"哈哈哈，好。"

她抬起头，眼睛明亮有力，看着我："不过说起来，林川成，我们还真是没有好好做过自我介绍呢。"

"是啊。"

"为什么，我们发生了那么多事，还没有知道彼此到底是谁呢？"她问。

"大概因为……我们还不是那种人吧。"我这样回答，觉得，这是有史以来，我最棒的答案。

我隐去了我的秘密，但不影响，我们俩第一次，正式地介绍自己。

28.

说到 I miss you 的翻译，我说是：あなたがいなくて寂しい

你不在，我感到孤单。

送完丁汐禾回家的这个晚上，我在路上走了很久，以免到家后无事可做。我想起这句话，突然发现我竟然害怕孤单，并且我并不想恢复原状。

"我叫丁汐禾，二十五岁，处女座，喜欢唱歌，开快车，发现美食，人生前半段都想把自己变成重要的人，现在，我只想成为自己，这很重要。很高兴认识你，林川成。"刚才，她这样介绍自己，下巴向我点了一下，算是示意我开始。

"我叫林川成，二十五岁，金牛座。爱好……没有，人生前半段没有意义，现在……正在寻找意义。也很……高兴认识你。"

"我不相信，这世界上有没有爱好的人。"她这样回答，但似乎并不想深究。

"你还没有头像呢，林川成。"她拿起手机帮我拍照，"喂，不要假笑好不好?"我收起笑容，恢复到日常的我，"这样面瘫的，才是你呀。"她调整角度，迅速按下，又拿给我看。

"怎么样？"

"呃，除了鸡翅膀，我非常满意。"照片中的我，一只翅膀折着，另一只则比出一个尴尬的耶。

"我们应该合照一张。"她来了兴致，凑近我，左手尽可能伸长，右手把鸡头揽在胸前，"咔"手机发出清脆的一声。我和丁汐禾，有了第一张合影。

"晚安。没有爱好的人。"丁汐禾发来短信。

"晚安。"我想多说些什么，最终，还是发出去了两个字。

十天前，我还是一个没有智能手机的人，而现在，我竟然对着手机傻笑，这真是不可思议。

母亲的越洋电话打来的时候，我刚刚洗完澡。寒暄之后，她说将在明天在我所在的城市转机，她讲到这里的时候有些羞愧，叹了一口气，她说："嗯，但还是能吃个午饭的。"

我说："好。明天我到机场见您。""您"不是我刻意说的，但讲出来的时候，我对自己的客气非常失望。

她停顿了大概三秒钟，挂电话前，她说："好，那你快睡，我这边也要出发去机场了。"

　　她对我的情况一无所知，自她离开这里之后，我隐瞒了病情、生活的琐碎和各种感受，力求塑造一个轻快的年轻人给她，或许她也如此。她是我在便笺纸上记录的远隔重洋的妈妈，每天早上需要背诵的必需项目，但最终我们变成了最有理由亲近的陌生人。

　　我又为自己的计划感到羞愧，如果不是这个电话，她是否，是我人生意义的一部分。

　　"我妈来了电话，明天要在机场见她一下。"我给陈悟发了短信。

　　"又这样？你可别穿帮，需要我陪你去吗？"

　　"不用了，早点睡吧。"

　　"你……最近有点怪哦。"

　　我没有回他，想着明天和母亲的会面，竟有一丝沉痛。

第二天，到公司打卡请假，再转地铁到机场，十一点五十五分，我站在国际到达的接机口。

她第一个冲出来，可能走得过急了，棕黄色的丝巾飘了起来。她比印象中略胖了一些，戴着眼镜，头发吹得很高，看起来保养得宜。她看到我，迟疑了一下，又迅速甩掉那些陌生感，急切地招手，三步并作两步地过来，几乎要滑倒，最后还是稳稳地站在我的面前，发出哎哟的声音，给我一个大大的拥抱，又双手将我从怀中推出，看看我的脸，再抱过来。

如此反复三次。

我略显僵硬地回应她，直到嗅到一股熟悉的独属于她的气息，类似乳香的甜香。这是她和我在一起十五年的证据，无法被香水味覆盖，也永远不可替代。

"肩膀宽了，可还是那么瘦。"她说着，又挎住我的胳膊，再伸出手来捏捏，"头发怎么回事？乱七八糟的。"

我躲开了她伸过来的手，略显拘谨地笑了一下。她不以为意，嘴里念叨着："儿子长大了。"

我们选了一家韩餐厅坐下，到滚烫的石锅上来之前，她都攥着我的手端详，我避开她的眼睛，有些手足无措。她眼角的细纹多了，化了淡妆，额头有一种奇异的明亮，她问我一些工作的事，又问起陈悟。

"那小子最近在谈恋爱。"我说。

"那你呢？该找个女朋友了。"她终于找到了合适的气口，仿佛一切都在计划之中。又担心地说，"你这么内向，有好姑娘也被你这沉默寡言给憋死了。"

我埋头吃饭，脑中闪现了一秒钟的丁汐禾，旋即被我用滚烫的大酱汤送服。

母亲叹了一口气，说："上次我跟你说的计划，你考虑得怎么样了？"

"什么？"我大吃一惊，觉得自己一定遗漏了之前某次通话的重要信息。

"到美国和我们一起住。"她斩钉截铁，大概以为我在避重就轻，"说了要想想，又没有了下文。"

　　"我在这边挺好的。"我挠挠头发，觉得自己似乎很难劝服她。

　　"怎么好？一个人，没有人照顾，空气又不好，再说，过山车管理员有什么可做的……没有技术含量。"她说着说着，自知失言，声音越来越小。

　　"挺好的，我觉得。"我只好依靠重复来强调自己的观点。大概，于她只是一种搪塞吧。

　　"总之呢，你要好好计划下将来了，得过且过怎么能行？"她声音提高了一些，略带严厉，似乎怕伤害我，只好低头吃饭，"一不留神，你就长大了，妈妈觉得，我们说的话都到不了对方的心里。"

　　她强调了一句："到不了对方的心里。"

　　我没有接话，我们俩沉默地吃完饭，又坐在咖啡厅里。母亲讲了一些在美国的事，包括工作的决定，终于是要停下来了，她说，好像没有尽头，也没有意义，最后她说："也是想，你在这边实在是不好不管，以后我两边跑，一边半年陪你。"

"真的不用，我已经不是小孩子了。"我说，用汤匙搅动咖啡，一口也喝不下。

终于到了分别的时候，在闸口，她说："行了，你回去吧。天冷，多穿点衣服。"

我点头称是，挥手和她说再见，她走了两步，又回过身来抱我，仰起头认真地看我。

"儿子，说是我要陪你，其实是我想你啊。"

她努力让自己回转身去，脊背有点微微向前弯曲。我看着她的背影，竟然觉得这是一次诀别。"妈。"我终于喊了她一声。

她回头看我，眼里全是疑问。

"飞机上凉，盖上毯子。"我笑了一下，说。

"好。"她终于回过头去，继续快走几步，消失在闸口里。

我把头缩在帽衫里，转身快步走出机场。太阳特别大，飞机发出巨大的轰鸣声冲出航站楼的边界，我被那阴影覆盖住，动弹不得。

"鸡，你今天怎么还不来上班？！"丁汐禾发来了短信。

我没有回她，我需要稍微整理一下情绪。

见一次母亲，有意义的要事栏中，这一项可以打钩了，遗憾
的是，这件事竟不是我主动达成的。

坐大巴回市区的路上，我竟然睡着了一下，或许，是身体迫
切地让我暂时停止思考。我甚至做了一个短暂的梦，好像我带着
丁汐禾和母亲见面，她们微笑着说话，我努力听，却听不见任何
信息，然后我突然醒过来，我无数次叫妈妈的场景次第出现在脑
海当中，不可抑制。

"去处理了一件事，现在马上回来上班了。"下车的时候，
给丁汐禾发了消息，再到赤金大厦的洗手间换上鸡的外套，尽可
能挤出一个笑容，把鸡的脑袋套在头上的那个瞬间，眼泪终于还
是流了下来。

我全身颤动，无法克制住眼泪，这不是轻快的、需要并且随
时可以恢复原状的林川成，我对此愤怒，又无可奈何。

整个下午，都在一种急切的情绪里，以至于每张散出去的
传单，都像是在浪费我的时间。我急迫地想见到丁汐禾，可又觉

得无从表达，那种状态，像我想喝酒，找遍了整条街，所有的店面却闭门谢客。

到七点时，我坐在赤金大厦的台阶上发呆，直到保安走过来说，这里不能坐着。

"为什么？"我的口气非常不好。

"没为什么，就是不让坐着。"他肯定听出了敌意，态度强硬起来，甚至有点扬扬自得。

我的拳头攥了起来，心里像有座火山，正奔涌着不停上涨的恶意。

"我如果非要坐呢？"我人生中，第一次怒不可遏，愤怒让我乱了方寸，直到他扯住我的手臂，试图把我架起，我的拳头终于扬了起来。

任何愤怒，都是一种无可奈何。

我终于变成了一个让我羞耻的——因为无可奈何而爆发愤怒的正常人，拳头冲过来的时候，我想起那个雪夜里大声唱歌的家伙，想起母亲转身走向闸口的背影，而后突然发现，心灵的痛苦需要肉体的痛楚来缓解，再用鼻腔爆出的血、眼角伤口泛出的淋巴液完成接力。

林川成，一摊烂泥，一个能力无用者，他的头反正终将是个被水充爆的气球，不知道为什么仍要用手臂保护它，直到彼此精疲力竭。我的眼泪伴着疼痛喷薄而出，我说：对不起对不起。

和母亲做郑重的道歉。

生命里所有的对不起纷至沓来，虽然并不是我搞糟了我的人生，这愧疚也于事无补。

保安扬长而去的时候，我被深深的倦意包裹，内心有一种类似解脱的情绪，似乎刚才的拳头和怒吼，将很多想表达但未曾表达的痛惜通通挥将出去。而正在走出写字楼的高跟鞋和皮鞋们，并未停下步子，它们的主人迟疑了一下，旋即低着头快步走开，或者发出被惊扰了的尖叫，再整理表情，继续埋头于手机或者与同伴的谈话。

我挣扎着站起来，不管周遭的目光，像只受伤的狗、一个打了败仗的将士，更准确地说，一只斗败的公鸡。地面上有我被撕掉的鸡毛，它们被踩得更加扁平，贴在地上卑微如泥。直到站起身，我的脚踝在大爪子里隐隐作痛，右眼已经肿了，导致我有点看不清，但我还是看到，丁汐禾正从大堂里走出来。

我慌忙寻找鸡脑袋，还好它只是有些扁，用力撑开它，把我的脑袋塞进去，再尽可能拍掉身上的土，我歪歪扭扭地走两步，尽可能让自己看起来正常。丁汐禾没有停下步子，甚至没有四下找我，她眉头微微皱起，不停地拨弄手机，然后，我看到那个叫健的男人，西装挺括地走过来，甚至带着一丝久别重逢的微笑。

29.

丁汐禾稳稳站住，背对着我，男人声音很小，像在征求她的意见，她不点头也不摇头。我在等待一个信号，一个——她不需要打扰、这个人请远离她的信号，遗憾的是她抱住手臂，没有反应，只是静静听着对方的陈述。

我呆呆地站在那里，觉得世界要将我和她隔开了，一座山脉拔地而起。

健讲到恳切处，终于伸出了他的手臂，他的两只手捏住了丁汐禾的肩膀，像一个无尽漫长又毫无声息的慢动作。

丁汐禾将其中的一只轻轻地拨下。

冲锋号吹响，我终于可以行动，这信号我等得太久，以至于突然发力，正在疼痛的腿让我差点摔一个趔趄。但不管了，我冲上去，拽住了丁汐禾的手，然后我说："走吧。去吃饭。"

丁汐禾发出了惊愕的声音，回过神来，直接转身离开。她发出笑声，说："林川成，你发什么神经？"

健发出一声："喂。"但他的年纪，不允许他有更冲动的表现，即便是自己曾经爱过的女人被人掳走，他需要时刻保持高度的整齐和优雅，对这突然发生的状况毫无招架之力。

果然是"那种人类"！我内心想着这几个字。

我不追究任何意义，此刻胸膛里暴涨着一种奇怪的占有欲，像保护自己的土地、家和狗，这比喻或许并不恰当，但丁汐禾被我拉进怀里的时候，我又一次听到心脏跳动的巨大响声。

随手拦了辆出租车，把丁汐禾送到后排去，再坐到前排，我肥厚的屁股和高耸的鸡冠，让我看起来更像一坨滑稽的火红的肉块。

"两位，要到哪里？"司机显然吓了一跳，但还是问出了第一句话。

"先往前开。"我的声音冷静，虽然嘴角在隐隐作痛。

"总要有个方向，先生。"司机听出性别，只好刻意地保持礼貌，如果不是我刚才拼死地冲进车道，显然他不会接这样奇怪的一单。

"先往前开。"我尽可能保持着冷静，他的询问像一个不停计时的秒表，发出嘀嗒嘀嗒的声响，这让我的情绪有点焦躁，更何况，他因为得不到目的地发出吧嗒嘴巴的声响。

"可……"

"山顶！"在他下一个音节发出来之前，我果断地怒喝出指令。司机在红绿灯掉头，向城市的另外一个方向冲去。

大概有三分钟的沉默。

"林川成，你在生气吗？"丁汐禾从后排轻轻拍我的肩膀，低声发问。

"没有，让我休息一会儿，汐禾。"我摘下头套，把头靠在座椅上，我迫切需要恢复原状，这真他妈的荒唐。

我看后视镜中的自己，眼角鼓起大包，右边嘴唇肿起，鼻孔里的血被我抹掉，但仍留下痕迹，我看起来和实际上一样无用、一样一事无成。

丁汐禾没有说话，默默坐着，透过后视镜看我，她没有惊讶，也没有追问我发生了什么，或许这就是她该有的反应，我是谁呢？一个和她认识不足一月的人，一个可能一个月后就变成一张白纸的家伙。

车向山顶进发，车内有些憋闷。我摇开一点身侧的窗户，任凭冷风直吹进来，它们像群狼发现了猎物，聚拢起来，又迅速散开，包住每一寸露在衣服外的皮肤。司机恼火于我的自作主张，把自己那侧的窗户也开大，任由风穿车而过。我打个寒战，却也不以为意，风啊雪啊这些自然事物，我何曾怕过你们？更何况，我正在和全世界赌气。

丁汐禾毫不示弱，为了表达愤怒，她把自己那侧的车窗全部打开，后视镜里的她目光如电，发出冷冷的光，看我注视她，浅浅笑了一下，做一个what's up的表情。冷风将她的头发打散，让她无法睁大眼睛，行进的风鼓噪着冷空气，在车内旋转舞动。她的目光没有停下，我像在和她进行一次促膝长谈。

"第一次打架吧。"

"嗯。第一次。"

"赢了吗？"

"输了……"

"你样子看起来很蠢，你知道吗？"

"不是看起来，是本来就很蠢。"

"在跟谁赌气，跟我吗？"

"不是。"

司机打了个寒战，终于缴械投降，他关上自己那侧的车窗，带着怒火说了一句："两位，我认输，关上窗户好不好？"

丁汐禾在后视镜看着我，征询我的意见，我点头，把自己那侧的关上。她整理头发，手按在车窗键上，浅笑着看车窗缓缓滑上去。我们鸣金收兵，结束一场战斗。

我心里升腾起温暖，是的，是我们。

到达山顶的时候，整个城市已经灯火通明。出租车扬长而去，腾起一层烟尘，简直是要用速度控诉我们，再在风中甩下一句："浑蛋。"

我和丁汐禾下车，走在可以俯瞰整个城市的位置，却都没有开口说话。她拉我坐在长椅上，随手拿起一片落叶，再用力地向前投掷。落叶猛地腾空而起，再被风阻住，不能往前半步，缓缓落下。

我学着她，捡起一片，拼尽全身力气，再用力投掷出去，状况当然相同，如此反复，动作又过大，扯动了肌肉和面部，伤口生疼。我扭过头来看她，她盯着我，然后说："请问你是在笑吗？"

她大笑出来。我的表情定是非常古怪可笑。

我想起了人生中很多的笑，和妈妈从水滑梯上冲下来的那一刻，与陈悟疾驰在洒水车喷溅的道路，再骑车飞起跳跃水雾的那一刻。它们像随时可供翻阅的电话黄页，此刻却不由我挑选，它们迅速结对，在脑中形成山呼海啸的声响，再一股脑儿变成一个只与笑相关的引擎。

我必须俯下身去，才可以让我有足够的空间呼吸，笑挤满了我的脸我的肺我的身体我的四肢百骸，像要把我也从身体里挤出去，只留下体力来应付它。我想逃开这里，远离丁汐禾，我这个无法停止大笑的奇怪的男人。

我面目狰狞地跪倒在地，眼泪夺眶而出，胸腔却传出更大的笑声，我竭力让自己默数数字，背词典，但这都无济于事。我想，过多的存储正在像水一样充爆我的脑袋，这真好玩啊，这世界这么多人，为什么我他妈是这么一个倒霉蛋儿。丁汐禾发现了异常，她蹲下身，拍我的后背："林川成，喂。"

　　我尽可能地挥手示意，但我无法回答她，我想说一句不要管我，剧烈的咳嗽立刻穿过喉咙喷将出来。

　　我彻底搞砸了一切，我想。哪怕给我十五秒的时间，我也可以羞愧地落荒而逃。

　　她跪倒在我面前，再伸手将我拥在怀里，甚至她用手按住我的头，让它尽可能地靠在她的肩膀上。她此刻毫无羞怯，甚至连犹豫都没有，她像笃定我需要她，所以立刻开始施救。

　　然后她抚摸着我的头发说："没事儿没事儿。"

　　我被她大胆的动作吓到，脑中的图片被重新排序，疾驰的动力正在消减，笑声偃旗息鼓的时候，羞愧立刻覆盖了全身。我伏在她的肩膀上，不知如何面对她。

　　直到她说："林川成，你好了没，要我跪到什么时候？"我慌乱站起身，再伸手扶她，我看着她，觉得必须要向她解释。

　　"汐禾，我今天真是出尽了洋相。"我说，"对不起，其实我一直有个秘密，瞒着你。"

　　她瞪大眼睛看我，而后坚定地点头说："愿闻其详。"

30.

长颈鹿每天只睡两小时，蜗牛的眼睛被割掉之后会痛苦地长出另外一只，鲨鱼怀孕需要四年，蚰蜒一生只是从早上到黄昏，蚂蚁每天只打八分钟的盹儿。

站在生物学的角度，人很难讲是高等动物，但他们被赋予思想、爱和行动力的同时，也被消灭掉更灵敏的嗅觉、视觉以及夜视能力等，让它们只变得刚刚够用。人自信有改变世界的能力，要靠工具和群体来完成目标，即便最终只是为了让世界更便利地服务自己，但这看起来也是没办法，他们只能靠不停地活着创作东西来试探及冒犯危险，以便更好地与世界相处。

这其实又非常公平。

即便烂熟于心，我也无法对丁汐禾讲出如上理论，可如果讲关于超忆症的事情，大概更花时间。她睁大眼睛看着我示意我说下去的时候，我脑中有三秒钟的空白，我试图发出声音，但这确实，难以启齿。

"你喜欢我？"丁汐禾突然跳出来一句，我听到心跳如鼓声响起，身体像被瞬间攥紧，再迅速放开一下，血流从脚部直接升腾到头顶。我想，这是个更难直接回答的问题。

"你根本不是个富二代？"丁汐禾问了下一句。

"你是外星人？"或许意识到第一句问话的鲁莽，她开始不停地提出问题，口气里尽是"不要当真啊"的玩笑感，这大概为她和我都解了围。

"我说，我脑子里有点问题。"我终于说出了口。我想，再多的问题也不该瞒她吧。

"看得出来啊。"她的反应让我大吃一惊，直到她伸手过来搔我的头发，说，"显笨倒是真的。"

我才听出她仍在开玩笑。

"呃，不只是笨，还有点奇怪，有时候像被按了某个键，会情绪失控，就像刚才……"我隐瞒了一部分，觉得完全说明并无必要。

"我也会啊。"丁汐禾说，"小孩儿，年轻的时候都会这样，老了就不会了，变成那种人类之后。"她不以为意，像这样的情况司空见惯。

"目前最关键的不是这个，是你肿了的眼睛和嘴巴。"丁汐禾凑近我，仔细看我的伤口，"现在立刻下山去，我们需要找个诊所。"

"我没事，回去再说，现在我想在这里和你待一会儿。"我强调说。

"那你今天为什么打架?"她继续坐着,双腿在椅子上荡啊荡。

"没打过,想试试。"我如实回答。

"所以赢了吗?"

"并没有,但我不难受,是种重要的人生体验。"

"所以这也算借口?"

"算,实话说,认识你之前,我是个相当冷静的人,陈悟,呃,就是我那个邻居,叫我镇定剂。"我说。

"哦,那个男朋友?"

"并不是!!!"我面红耳赤,急忙辩解。

"一点都不镇定啊。"丁汐禾大笑。

是啊,我也笑,现在的我,不仅不镇定,简直方寸大乱。

"其实人和世界对抗,方法并不多,有时候只好认了。"丁汐禾似乎无限伤感。

"听之任之?"

"也不是,先负隅顽抗,最后学会苦中作乐吧。"她悠悠地叹气,再恢复如常,"刚才他来找我,我内心冰凉,觉得,剧情终于还是狗血了。"

"说什么?"

"说,是不是可以继续,发现有些想我。"她像讲别人的事情，"当下不说不动，事后突然又有恻隐之心，晚了。然后我发现，我对他唯有的一点眷恋，在这一刻全都消失了，所以，应该谢谢你把我拉走。"

我没有接话，心中不知何种况味。

我和丁汐禾静静坐着，没有再说话，十一月的空气像被冻过，有云在灰暗的空中，我突然很想跟丁汐禾说我喜欢她，就像个趁火打劫的家伙一样，我扭头看她，再努力地清清喉咙。

不管什么结果，我想，像打架一样，总可一试。

但最后，我说的是："上次你说，如果只有一个月记忆，你会做什么？"

丁汐禾想了一下，说："暂时保密吧。"接着，她一字一句地说，"我想，其实哪有什么未来啊，未来就是现在的每一刻。"

我格外认同。

下山时候我们找了家便利店，丁汐禾帮我买了冰块和碘酒，问好用法，再叫车送我回家。

"为什么不是我送你？"我用冰袋敷着眼睛说。

"因为你是伤员啊。"她不容置疑，她大概有点累，脑袋靠在后座上，悠悠地叹气。

"怎么了？"

"男孩儿们用武力解决问题，但问题其实并没有解决，女孩儿们用内心争斗来解决，问题也没有解决。"

"这是哲理吗？"

"算是。"

我们没有再说话，她闭上眼睛，把头靠在后座上。

"睡一下吧你。"我对她说。

"嗯。"她乖乖闭上眼睛，终于还是睡着了，她的头又开始乱摆，这一次，她直接栽倒在我的肩膀上。

我轻声跟司机说了丁汐禾的地址，直到车子停在她家楼下。

"汐禾，醒醒。"我轻声唤她，"到家了。"

"喂！！"她睡眼惺忪地睁开眼，辨别了一下周围，说，"喂，你怎么不叫醒我。"

"现在不是叫醒了吗？"

"你……"伶牙俐齿的丁汐禾小姐，也有无法说话的时候。她只好下车，关门前，低下头来看我，说，"记得擦碘酒啊。"

"好啦。"我有些欢快地答应。

这漫长又有趣的一天，终于是要过去了，我想着丁汐禾说的话，没有未来，此时每一刻，都是未来。

或许可以再加一句，也没有过去，此时都是过去。

到家里，对着镜子用碘酒擦拭伤口，镜中的我，陌生又奇怪。我的头开始疼，地面变成了一层层可以摇动的台阶，正在我面前不停地递进向前，我如同置身在一艘巨浪中行进的船中，无法站稳，最后只好趴倒在地，冰冷的地面紧贴着我的脸颊，又突然垂直向上站起，我成了风雨中的攀岩者，要滑下去，坠入无底深渊。

发不出声音，也使不上力气，我就要坠入无边的黑暗里去。

我坚持睁开眼睛，以方便保持清醒，然后我看到两颗药，静静躺在博古架的深处，发出柔和的白色的微光。

这一刻，我无比想吞下它们。

或许，我的决定是错的？我不该停止服药？我为什么不能安然平静地继续活下去？不需要喜欢谁、惦记谁、和谁发生争斗——像只没有记忆的猫、狗、仓鼠！一切在偷生的动物和花草？

我竭力向博古架爬去，从没有一刻，我那么想把这药丸大口吞下，然后任由那把铲将脑干上附着的东西，都带着激烈声响除了去。

伸手把药掏出来，不管有没有尘土，我想，吃完大概我可以万事皆休。我试着站起来，到冰箱里拿水，只要吞下去，林川成，你就可以大睡一觉。

是的，大睡一觉，然后第二天对着自己的伤口发出"咦"的一声，再变回一个轻快的心无挂碍的年轻人。

我尽可能把它放在手心里，攥住，再瘫倒在沙发上，我需要攒一点点力气，以更好地做一个决定。丁汐禾像在我脑中与它对峙，她说，没事儿，没有未来，都是现在。

手机发出"丁零"的一声，我努力睁开眼睛，去看短信："涂好药了吗？鸡，请展示你的工作成果。"

汐禾，是你。

她的一切，在我脑中被截成一张张高清图片，没有高音的她，在火中抱着熊头冲我微笑的她，在大醉之后哈哈大笑的她。

我挣扎着站起来，到洗手间，把药丸投进了马桶，再按下冲水钮。它们带着一丝遗憾，盘旋了两下，终于随着水转向了无底的深处。

我在马桶边狂呕，但我想，吐干净了水吧，但请把丁汐禾的一切留下。

这一夜，我在马桶边躺下，疼吧，我想，这是我用来交换世界的代价。在黎明前昏睡的两小时到来之前，我给丁汐禾发了一条短信，我说，"是啊，只有现在，得过且过，不如不过"。

31.

白天终于还是来了，在马桶边醒来的时候，我浑身冰凉，像缓慢度过了一整个世纪，连昨天的疼痛都恍如隔世。

短信里，有丁汐禾的"早安"。

靳山则发来一组图片，在印度恒河边上。他顶风站着，头发飘舞，他看起来黑了很多，可笑容格外明亮，还有一则短信说："明明异国他乡，像在故乡流浪。"他用黑白的图片，记录着他看到的印度，那些眉间有痣的少女，似乎飘散出热气的咖喱，纷乱的街市，在河上贩卖秋葵的老妇。他有时自拍，把他们都套在画面里当作背景，他的愉悦透过照片，像恒河上的水波一样明朗，最后一张，他坐在船上，背后是浓眉深目的印度男人，正撑篙顺流而下。

他终于活成了想要的样子。

我为他感到高兴，在镜中望着自己，觉得有必要和现在的状态做个了断，眼角依旧肿着，嘴巴边上瘀青一片，我成为一个看起来正常的都市青年，打了架，次日再重新杀回寻常生活里，带着伤疤。

回给丁汐禾"早安"，恢复成一个轻快的年轻人，我和我破碎的鸡为伴，去游乐场报到。

到游乐场的时候，陈悟打来电话，做明天的邀请，以及再度恳求，我今天到家里，帮忙收拾一下。

"喂，你是不是把我家弄得乱七八糟？"

"并没有，很整洁的，不信你来看。"他在电话的那端发誓。

我不信。

我坚决不信。

当然，我的部长大人，也不信我昨天只是穿着公鸡人偶摔了一跤。

"林川成，你是专门负责吃道具的吗？"他的眼睛从报纸上抬起来，看着垂手而立的我，显得百思不得其解。

"呃……"

"呃什么呃，你真是让我大开眼界，弄坏的那只熊和这只鸡，都是要从你工资里扣的。"

"可以。"

"可以，你说得倒是爽快！那现在怎么办！你要空手去现场发传单吗？"

"那我可以穿那个，小丑。"我指指办公室角落里的那只。

"那个要画脸的！还有，你看看你的脸，还用画吗！"部长最后发了一句牢骚，还是随手指了下，让我去换小丑的衣服，对着镜子画脸的时候，我竟然莫名感到轻松。

这样的脸，和丁汐禾见面，应该别有一番意味吧。这样，我就是一个画好脸的，看起来很开心的小丑了。

在过去的二十五年里，我都没想过，有一天，我会以小丑的面目，穿过游乐场，再走过人流汹涌的八角地铁站，他们好奇地看我，有人站定了拍照，我都不以为意，小丑的脸给我一种莫名的安全感，其实仔细想想，脸也只是面具的一种，人却愚蠢地认为需要遮蔽了才觉得更为安全。

没有比这更棒的事，在阳光下大胆走着，像可以大声地夸耀自己。

这样想着，到了赤金大厦站，径直到星巴克里买咖啡，准备喝一杯再开工。

我面对着墙坐下，打开手机听音乐，还是那首"what's up"，它其实一直在我脑中唱，而此刻，它变得格外轻快。

"小姐，你确定拿得了吗？"我是在歌曲间隙的时候，听到店员关切的声音。

"我可以，谢谢。"熟悉的声音被无限放大，对应出无数丁汐禾的面孔。竟然是丁汐禾，我循声望去，真的是她，只不过，没有化妆，略显疲惫，手里则拎满了纸袋，咖啡过重，纸袋显得摇摇欲坠，加上要用肩膀推开门，她显得格外狼狈。

我站起身，膝盖撞在凳子一角，发出尖锐的疼痛，我不禁叫出了声，店门则应声关上。膝盖的痛让我暂时无法行动，只好苦着脸揉膝盖缓解下疼痛。

然后我听见店员对另一个说："十二杯咖啡，你为什么不帮她送一下？"

我一瘸一拐地冲出门去。

丁汐禾正往大厦的后边走去，因为左边两个手提袋，为了防止把咖啡撞洒，她只好艰难地尽力将胳膊抬起，走路也显得不大利落。

"汐禾！"我大声喊她。

她好像听到了，但并没有回头，甚至加快了脚步。

为什么？难道我认错人了？再将记忆调出一遍，认为自己根本不可能认错。

我只好冲上去，拦在她的面前，摆手示意说："是我啊。"

她惊愕地看着我，或者表情里还有一些窘迫。丁汐禾耳根儿泛红，并没有停下脚步，垂下眼帘不再看我："你赶紧去忙你的。"

"太重了，我来帮你。"我伸手去提她的咖啡，她突然躲开，声音有点颤抖，"不用，我说了我自己可以。"

"怎么会，看起来很吃力了，而且，我现在也没事。"我坚持伸出了手。

"不用。"她态度很强硬，甚至有点想摆脱我，像遭遇了酒鬼的纠缠。如果再有一次机会，我想我不会这么鲁莽，因为在之后的时间中，我永远都会记得那幅高清的画面。

纸袋的提手终于发出了一声短促的"刺啦"，应声断裂。咖啡直接出逃般，从纸袋中跳出来，再极不情愿地，"啪"的一声落在地面上，当然，也溅在我和丁汐禾的鞋面上。

咖啡的点子清晰地印在我的鞋子上，也印在我的脑子里，我双手摊开，知道自己帮了倒忙。

丁汐禾，在这一刻突然暴怒了："你满意了吧？林川成。"是她燃起来的怒火，以及像积攒了整个早上的不堪。

"我……"我试着解释，但已然来不及。

"对，现在可以告诉你了，我不是女律师，不是歌唱家，不是替人报仇的，我只是个破烂出版公司打杂的。"她有点崩溃，声音因此显得有点急切，像嘴巴赶不上脑子的转速，"连个编辑都不算，每天跟狗一样，被使唤来使唤去，再滚回格子间里打字！编假书！"

我呆在原地，暂时无法理解她讲的意思。但似乎，所有关于她身份的疑问，正在脑中某个地方水落石出。

"哪里要开放签证了，就赶紧攒一本，每天复制粘贴，工资按字数计算！"她没有喘息，像被打断了就无法续上一般，"甚至，我的公司都不在这楼里，要穿过大堂到后边的那栋破旧的大楼里。现在满意了吗？"

"可……汐禾。"我想，她误会了我的意思，更误会了我。

"对了，连名字都是后来取得，我真名叫丁晓柔，你满意了吧！"丁汐禾像发出最后一发子弹般决绝，然后转身，拎着咖啡，转身走开。

有那么一刻，我无法呼吸和思考，只能垂手站着。玻璃幕墙里的我，有一张奇怪的不知表情的小丑的脸。

看她走远，我俯下身，把倒掉的咖啡杯拿起来，再扔到垃圾桶里。我心里空荡荡的，像什么东西，也被扔掉了。

32.

如果搞砸事情是一种能力，那我一定算是个超人。

看着玻璃幕墙中的自己发呆，以及反复回味丁汐禾刚才说过的话，她还说过，"先负隅顽抗，最后再苦中作乐罢了"。

我不能理解她，我是过山车管理员林川成，我从不觉得这个身份有任何难以接受，我也不认为要考虑别人怎么看我，在这之前，我不和任何人对视，更懒得去了解。

整个下午，我穿着小丑服发传单，然后认真地观察每一个路人，他们的西装、领带、高跟鞋、质地很好的包包、看起来精心打理过的头发，甚至走路的姿态，他们注意到我，或者躲开，或者友善地点头示意。他们像世界的宠儿、被教化过的标本，干净、整齐、礼貌，或许这个世界，真的和我想的不大一样？

坐在长椅上休息的时候，下午的阳光正好，一个穿着西装的年轻人走过来，坐下，表情看起来有点郁闷。

我坐在那里，像个荒谬的陪衬。

"你的鞋带开了。"我提醒了他，继续默默地吃着饭团。

　　"哦，谢谢。"他俯下身来，盯着自己的鞋带，仔细调整位置，将两边等齐，又认真系上一个蝴蝶结，再抬起脚来端详，显然不够满意，再解开，重新打蝴蝶结。

　　我下意识地看自己的脚，上边有早上的咖啡渍，显得污浊不堪，把脚撤回一些的时候，他的目光闪烁了一下。

　　他从西装口袋里摸出一盒烟，拿出一支点上，再拿烟盒示意我："抽吗？"

　　"呃，"我被他突然的示意惊住，忙摆手说，"我不会。"

　　他叼着烟，戏谑地笑了一下："哦，是吗？"再把烟揣回兜里。

　　"这么忧郁的小丑哦。"他像跟自己说，但又像跟我说。

　　"有点。"我试着回答了一下。

　　烟让他的眼睛有点被熏到，导致浓眉挤在一起，他看向我，说："这工作好玩吗？"又深深叹了一口气，自己回答了，"哪有好玩的工作啊。"

　　"其实挺好玩的。"我有点强词夺理，又补充说，"自得其乐吧。"

　　"好想当小丑哦，不用跟人打交道。"他说。

　　"这算是一种夸奖吗？"我是真的好奇，没想到，这样的工作也会被人羡慕。

　　"我还想当园丁，伺候花草什么的，有时候，觉得除草是很过瘾的事，但凡工作有具体的内容，又不用和其他人有关系，就可以一直慢慢干完。"他把手臂搁在长椅上，做舒展状，再大口地吐出烟雾。

"大概你……只看到了惬意简单的那一面吧。"我想起传单被大风吹起的那天，自己手忙脚乱时突然出现的丁汐禾。

"也对。"他表示赞同。

烟快抽完的时候，他说："走了。"然后伸展手臂，脖子扭动着，到垃圾桶扔掉烟蒂。

他落下了一张纸，我站起来叫他："喂，这个……"又走过去，准备拿给他。

他停下脚步，回过身来，接过那张纸，自我解嘲般地笑了一下："哦，刚想着辞职的，现在不想了。"他打开那张纸，上边写着辞职信的字样。他把纸揉作一团，扔到垃圾桶里，跟我说，"谢谢你啊，自得其乐吧。"

坐在长椅上，将刚才的画面放大，发现辞职信上写着："由于个人原因……"个人原因被划去了，又重新写，"工作与我想象的完全不同，以及我认为自己还是可以去继续我的乐队，上班不适合我。"

他大概也觉得如此很唐突，又将这句勾去了："为什么要变成和大家一样的人？所以我想辞职。"

我想，如果上司看到这样的辞职信，一定会哑然失笑吧。

七点的时候，我准备去找丁汐禾，告诉她，她在意的这些对我毫无意义，我更想告诉她的是——"你误会了我。"

赤金大厦后边有一栋旧楼，在赤金大厦盖起来之前，这里应该是城市的中心，但现在显然不能算了，层高不够，设计又是土黄色，和玻璃幕墙一对比，立刻显得过时。门口有些杂乱，更小的公司们潜藏在此，连牌子都残破不堪。

我到门口的名牌栏，寻找和出版相关的公司，"盛得文化传播有限公司"应该是在十五层。电梯里气息不良，行进起来吱吱呀呀的，极其缓慢，当然，我可能也算不良的一部分。一个画着小丑脸谱的我，一个急着要送件的快递员，一个看起来头发蓬乱的中年人，看起来，真是不良得合情合理。

他们两个在四楼和八楼下去，电梯每次重新运行，都伴随着巨大的噪声，像个咳嗽的老者负重前行般，缓缓向上。我盯着电梯污浊的按键，想着丁汐禾每天如何在这缓慢的电梯中开始一天。

电梯门应声而开，楼道里光线昏暗，"盛得出版集团"的名牌就挂在电梯门对面的墙上，看起来多日未曾擦拭。顺着指示向左，就能看到另一条长的楼道，里边并排着写字间，1507应该在楼道的尽头。

办理签证的公司、电子产品线上经营店的实体店、名字具有禅意但很奇怪的文化公司，似乎每扇门都暗藏玄机，有人从里边走出来，大声抱怨，后边跟着另外穿着劣质西装的年轻人，竭力留住客户一般，赔着笑解决前边人的愤怒，避开他们继续向前。盛得公司的门就在眼前，隔壁则是楼道，标有紧急通道的字样。几个人聚在楼道口抽烟，让空气更加暧昧不堪。

年轻人踩灭烟头，好奇地看我，转身走进盛得公司里边，有人说："是送花的吗？"

"大概是，现在的花店也是疯了。"

我呆站在门口，正想确定一句，他们又鱼贯而出，手里拎着公事包，再回头大声说："丁汐禾，剩下的活儿教给你啦。"

"要喝酒吗？"

"必须啊。"

他们聒噪着，直接往电梯那边走去。

我想，我找对了。

前台没人，房间很小，站在门口便可一览无余。日光灯管发出惨白的光线，让整个房间像个盛满积木的盒子，又被强行隔成十个写字间，显得逼仄。最里边有扇推拉的木门，大概是会议室的样子，堆起的书、未整理的文件、竖在墙边的打印机，像随时要把坐在格子间里的丁汐禾掩埋。

她低垂着眼睛，对着面前凌乱的A4纸发呆，她似乎哭过，看起来没有精神，甚至没有注意到我。

这个活儿似乎很难应对，她先要看向电脑，再从A4纸中寻找对应的文字。或者她有些急躁，最后她几乎放弃一般，将A4纸推翻在桌面上。

我走过去。

"要怎么做？"我拉把凳子坐下，拿起一篇文稿说。

她抬眼看我，没有作声，或者她又有一股被我看尽的怒火，但我此刻，就想做一个不讲道理的闯入者。我心里有种快意，我接近你，从来不是因为你是谁。

因为你是你。

但我想，暂时不用告诉她。

她低沉地说："明天一早要送审，但没有页码，内容全乱了，需要和电子版对应，理出顺序，以及根据手稿做电子版的更正。"

我想我听懂了，甚至为此感到雀跃。

将她拉在一边，我坐在电脑前，不容拒绝地说："给我一点时间，去楼下帮我买杯咖啡上来。"

"喂，林川成……"

"相信我，快点。"

我将文档调到第一页，开始顺序往下看。

她没有说话，听话地出门。

十九万字的文档，大概是三百多页。此刻的林川成，像驾驶战机歼灭每一个地面的堡垒，拜我的秘密所赐，我不需要读它们的意思，只需要视觉录入即可。

到她回来的时候，我已经看完全部的电子文档内容，正在开始着手排序。"本来是整理好的，但因为总编大发雷霆，稿件全部乱了，又必须提供完整的电子版给出版社做审核。"她解释说。几乎可以想象主编将稿件扔向空中的骄纵画面，以及从地上捡起它们的丁汐禾。

我伸手制止她，开始分拣手上的稿件，三百页，分为十个单位，每个单位三十页，和脑中的顺序做相应的排列，我必须进入一个完全不被打扰的状态。

所有的纸张，在手中变成一种意义，和丁汐禾同声共气的意义。

到八点三十五分，全部顺序整理完毕，喝下第一口咖啡的时候，发现丁汐禾正好奇地看着我。

"干吗？像看鬼一样。"我说。

"你真是让人害怕。"她有点吓到了，站在她的立场，看我如同撞邪似的看字再迅速地分门别类，一定也会奇怪。

"我不是说了嘛，我的脑子……"我没有停下手里的动作，开始按照记忆，修订电子版上的差别，这对我也不算困难，只需调用那张手稿图，对应眼前的电子版，就可以清晰看出差别，像用字帖临摹一般。

"……有点特长。"我说。

丁汐禾插不上手，只剩下目瞪口呆。我无暇顾及这些，只能旁若无人地继续做修订的工作，现在看来，我应该是一个严肃认真、具有强大气场的小丑了。

九点五十分，我批注完最后一个字，再用手活动僵硬的脖子，几乎一气呵成，将文件交还给她的时候，她已经说不出话来。

"这……太厉害了。"她用手指着脑袋。

"一点特长。"我的头有点疼，或许过度使用了它，那些字，现在变成了注入气球的水，让我整个脑袋昏昏沉沉。

丁汐禾收下稿子，将它送到后边的推拉门，再认真地保存电子版，发送邮件出去。"请你吃大餐。"她说。

或许想起早上的发怒，她有点不好意思，她补充道："如果你还愿意的话。"

当然愿意，在说出这句之前，我的头开始小范围地疼痛，这像暴风雨前的征兆，不出意外，半小时之后，疼痛将大规模袭来，我可不想——昏倒在丁汐禾的身边。

"哦，算了……我想早点回家。"头继续疼，我想，我必须赶紧和丁汐禾分开。

我示意离开办公室，和丁汐禾走到电梯那里，她观察我的表情，像看待一个奇怪的人。

对，我本来也就是一个奇怪的人，头疼在此刻提醒我这一点，像一个急切告诉我厨房正在漏水于是疯狂敲门的邻居。

　　此刻，最需要解决的是：如何在丁汐禾身边落荒而逃。

　　在我按下电梯的那个瞬间，我有一种不祥的预感，电梯，竟然，没有，反应。

33.

或者由于刚才过度使用，记忆可能发生了某种偏差，丁汐禾握住我手臂的时候，突然想起那天救火之后，我跟她说：丁汐禾，我第一次离你这么近。

而现在，她在我身后，像被我刚刚救起。

"可能停了，经常这样。"丁汐禾有点恼火，但也无可奈何。

我们俩顺着楼道走回去，没有光，好在我之前走过一遍，我前边带路，丁汐禾紧跟住我，手迟疑了一下，最后还是握住了我的手臂，发出"喂"的小声惊叹。

楼道的门发出奇怪的声响，楼道里没有灯光，难道停电了？丁汐禾在楼道里跺脚，但除了回音，没有任何反应。

我点亮手机，带路往前。丁汐禾紧紧攥住我的胳膊，开始磕磕绊绊地下楼，楼道里全是脚步的空响，还有我们俩微微的呼吸声。

十四层。

"这就是真实的我。"像准备了很久，她终于开始说话，"我们的公司，专门负责编很多旅行书，'你必须知道的西班牙'，'你必须知道的意大利'之类的，每年更新。"

十三层。

"所谓编辑的我，每天，只需要在网络上搜索寻找这些相关内容，再复制粘贴，整理，附上一些图，一本书就大概完成了。"

十二层。

"没有技术含量，每天就在那个格子里。"

十一层。

"工资按字数算，一千字三十块，一万字三百，计工作量，每天有人检查，出错一个字扣一块钱，有时候需要加班，因为新的国家旅行放开了签证，就要赶制一批新书。"

十层。

"有时候太累，就睡在格子间里，心里非常绝望，永远打不完的字、调不完的格式。"

九层。

"不能署名，我们没有名字。"

八层。

"不愿意说自己是干这个的，觉得丢脸，好歹也是学新闻出身，最后做这样的事，可这么大的城市，总得有个容身之地。写很多东西，投稿都不成功，没有回音，不能不赚钱养自己吧。"

七层。

"也不敢穿得浮夸，怕被别人笑。跟他约会的时候，要把衣服存在赤金大厦的寄存柜里，下了班再化妆去，说自己是律师事务所的，也不知道为什么非要隐瞒这些，其实就是虚荣吧，自己在骗自己，觉得穿上好看大衣的那一刻，那才像是真的我。"

她应该在掉眼泪，我想，讲出这些，对她来说应该极其难。

六层。

"后来成了习惯，直到认识你，觉得伪装毫无必要，但不伪装好像也没有必要，就变成了一个奇怪的我。"

五层。

我们站在楼道里喘气，当作休息。

丁汐禾说："所以，林川成，请你原谅我。"

我的头像要被什么充满了，继续发出叩击一般的疼痛，我没有说话，想等着她把一切讲完。想起我看到的多变的丁汐禾，似乎有很多疑问，终于在此刻找到了答案。

我把手机里的音乐调出，直到那首"what's up"的前奏一点点地灌满整个楼道。

Twenty-five years and my life is still

25年的人生就这样过去了

Trying to get up that great big hill of hope

我仍要努力去翻越那希望的高山

For a destination

为了让人生有意义……

I realized quickly when I knew I should

当我明白我应该做什么的时候我意识到

That the world was made up of this brotherhood of man

这个世界是由人们的情感组成的

For whatever that means

而我一点也不想深究其中含义。

音乐让生活变样子，我信，像此刻，这空寂楼道里的，高亢的歌声，即便日子像蛀牙一般，时间碾轧的碎屑不停塞满它，让人变得不安。我跟着它歌唱，头疼就可以缓解一些，我没有说话，我没有资格谈什么原谅，尤其是丁汐禾，作为我的一把钥匙，她已经陪伴我很久，而这首因为她才知道的歌，此刻，它正和我的心跳，变成一首巨大的共鸣，像天空慢慢亮起来。

到楼下，再打车，送她上车。我说："明天我休息，记得我们要跟陈悟他们一起吃饭。"

丁汐禾点头说"好的"。

关上车门之前，我说："其实真的没什么，我认识的，只是一个你。"

　　车缓缓开走了，留下一个疲惫的小丑，在赤金大厦和旧楼之间，这城市像被切成了两个不同画风的世界。

34.

头疼的时候，世界就变成了两个，一个在我身下，一个则悬浮空中，就距我咫尺之远。我似乎看到，我的头被一只巨手捏起，再反复用力地揉，而丁汐禾，则在另外一颗星球之上，默默遥望我。她终于清晰、冷静、笑容坚定又美好，可我伸手要抓住什么，最后手中空空如也，在回家的出租车上，即便我尽力掩饰，依然被司机注意到。

"还好吗，先生？"他的头发已经花白，眼睛却坚定有力，透过后视镜看我。一个落魄的小丑，几乎要瘫倒在路边，看起来情况难辨，他敢停车拉我，我已经非常感激。好在我的妆很厚，盖住了我狰狞的表情。

"我没问题。"

"很辛苦吧。"他开始下一句问话。

但我昏昏欲睡，"对不起。"我似乎说了一句。

司机说："睡一会儿吧，还有一段路。"

被司机叫醒的时候，车已经停在了楼下，我竟然睡着了，甚至头没有那么疼了，这让我非常意外。当然，或许这个要被水充爆的气球，要开始一段紊乱无序吧。

我跌跌撞撞地上楼，电梯门打开的时候，楼道里的代币迅速向我冲过来，我和陈悟被彼此吓了一跳。

陈悟分辨出是我，大笑出声："喂，现在到了上班要画脸的地步了吗？"我懒得理他，直接打开门进到房间里。

陈悟带着代币进入，对自己房间的整洁大加赞叹："林川成，你是不是有一种清洁工的潜能？"

我进到洗手间，用水冲自己的脸，遇水的脸谱呈现出一种奇怪的痛苦表情，直到我用化妆棉擦掉它们。

"陈悟，你到底什么时候让我搬回自己的家？"我说。

靠在洗手间门边的陈悟用脚踩着代币的肚皮："明天聚会之后，立刻归还。"

"不，就今晚，我今晚绝对不要睡在豹纹墙纸的房间里。"我坚定地说，代币立刻跟在我的脚边，似乎表示同意。

"可以啊，欢迎跟我一起睡。"陈悟用他的胳膊环住我的脖子，我突然有点感慨，喂，你说这浑蛋小子，知道我现在放弃了吃药之后，是什么心情？

我准备到自己的家里去看一看。

"恋爱顺利吗？"在楼道里，我问他。

"一切正常，简直超音速。"他还是很蠢，但看起来，就是这个年纪的男人该有的样子。

即便内心早有预期，我也对陈悟的破坏能力刮目相看。喝过的可乐和啤酒罐散落各处，烟灰缸已被烟蒂挤满，代币的玩具和狗咬胶在地毯上对峙，我的衣柜被打开，序号早被打乱，穿过的衣服被扔在沙发上。

"喂，陈悟，这就是你换房子的原因？"

"不只啊，我现在在她那里是你啊，过山车管理员，林川成。她竟然信以为真，一点都不怀疑，而且，她甚至觉得，我这个性做管理员最好，不用和很多人打交道。"

"她匆匆来过一次，她还很喜欢代币。"陈悟继续说，"所以，我说明天要和我的好朋友陈悟吃饭，也就是你——拜托了。"陈悟做出可怜的表情。

"幼稚。"我想起丁汐禾掩饰身份，觉得这一切超级荒唐，更觉得，若陈悟有真爱的感觉，为什么不能坦诚相见？

陈悟像知道我要问为什么，搔着后脑勺说："一开始撒了谎，现在就有点不好收场。我当时也是怕给她压力，觉得一个咖啡店的侍应生，又比我年纪大——她很聪明。"

陈悟的解释不无道理，或者他依旧没有忘记，那些因为得知他身份之后态度大变的女人，让他不胜其烦。

"明天，我准备，跟她坦白，顺便把真的林川成，你，也一并介绍给她。"

我不置可否，心中竟有几分酸楚，在认识丁汐禾之前，我很少顾及这些，更少有由于对方身份的缘故，对待别人有任何差别，基本上，于我都是不用产生关联的陌生人吧。

接下来的一个小时，我都在让我的家恢复原状。

"不得不说，川成，你真是有清洁超人的潜能。"陈悟洗完澡出来，看着我，发出由衷的赞叹。

然后我听到，厨房发出了"啪"的一声巨响。

"什么东西？"我闻到一股焦煳的味道。打开厨房的陈悟站在烟雾里："我刚才很饿，就放了两个鸡蛋在微波炉里。"

"你有没有一点常识！"我真的要发怒了，怎么不连带你一起炸死！拨开陈悟，整个厨房充斥着一股奇怪的蛋香，被炸碎的鸡蛋已经均匀铺满了整个厨房。

"你应该带着蛋一起到微博炉里去加热。"我怒视着陈悟，觉得，嗯，这样的好朋友，不用告别也好，主要是不用认识才好。

清理已经来不及。我说，看来，明天我们必须改变计划。只好拿了清洁剂，戴上橡胶手套，拿着抹布擦墙，手机突然响起，陈悟自知有错，把我的手机从客厅拿进来，双手奉上。

丁汐禾给我发来短信说：我已经洗完澡，准备睡觉，明天我们哪里见？

我把手机拿给陈悟看，显然我的脸色并不好。陈悟双手合十，连说对不起。"改成餐厅吧，可惜，没法尝到她的手艺了。"

我回短信说：家被鸡蛋炸毁了，改成餐厅吧。

"啊？没事儿吧。"丁汐禾立刻回了短信。

"只是误交损友，蠢友。"

"好基友干的吗？"丁汐禾在短信最后，还附赠了一个捂嘴偷笑的表情。"呃……"我的脸都红了，陈悟则在一旁做观察状，我迅速按下短信："稍后发给你地址，快睡。"

将陈悟赶走，我一直在和墙上的鸡蛋痕迹作对。陈悟发来了明天餐厅的地址，也在南熙路，名叫读金。

他短信说：收到请回复。

我回：复。

他的短信很快响了："镇定剂，今天鸡蛋爆炸的事情，就不用记在本上了，记得吃药。"

把地址发给丁汐禾，说了晚安，像流浪了很久，我终于回到了我自己的床上，代币发出呜咽之声，卧在我的床畔，尾巴百无聊赖地轻轻摆动。

我蹲下身来，扶起它的脸，它有点楚楚可怜。

我很想把这段时间的遭遇告诉它，它似乎心领神会。

35.

十一月底的城市，已经开始预演寒冬。

中午十一点五十分，提前十分钟到达读金，这里并不难找，只是藏在楼内，招牌又刻意低调般，容易错过。

这里做中餐，可装潢又非常西化。服务员着黑色长袍，显然经过严格选拔，目测都超过一米八，还个个面容白皙冷傲，吧台里摆满了各式红酒，光线幽暗。

我有点手足无措，像大部分时候的我，要了一杯冰水，一口喝下时，像整个人被浇醒，服务员迅速地帮我加水，似乎生怕耽误。

一个女人走进来，鞋发出有力的声响。她脊背挺拔，脖颈也是，黑色的短裙和皮装，让她姣好的脸和身材像在做一个骄傲的展现。她把墨镜摘下，露出精心描画过的眼睛，以适应餐厅内幽暗的光线。

她对服务员轻声说了桌号，径直向我走来，然后直接坐下。

"渴死我了。"她直接拿起我面前的杯子，大口饮下，再把杯子放下，留了半个唇印在杯壁上。

"你好，帮我拿杯水，给他。"她指了下我的位子，将我的杯子据为己有。

她的眼角有时间爬行过的痕迹，应该三十岁或者更大一些，看起来有点眼熟，我看着她，尽力搜寻脑中的记忆，但似乎一时无法搜到。她眼神同样明亮有力，和丁汐禾相比，是另外一种，带着敏锐和机警，她看着我，说："林川成吧？我是陈悟的朋友。"

"可……"我差点说出真心话，可，陈悟不是还没有暴露身份吗？

"他和你换了房，说自己是过山车管理员，你们这些小孩儿。"她继续喝水，眼睛看着我，像揭开一个秘密，带着点坏笑。

"还养着你的狗，家里整洁得跟强迫症一样，怎么可能是他，当然，也因为我看到了你的一张便笺。"似乎为了解开我的疑问，她继续说。

她发现蠢的陈悟应该不费力气，我看着她，像看到一团巨大的能量，想起丁汐禾讲的话，她像熟练的那种人，在动用计算、经验、概率，对世界进行精准的判断，而是否要了解真相，也只在于他们是否愿意。

"我不会揭穿他，只是想看他什么时候告诉我。"她露出猫戏弄老鼠的表情，甚至有几分得意。

"对不起，是我来晚了吗？"陈悟朗声说着，一阵风般地卷进来，伸手搔我的头发。我把头躲开，觉得真是。

女人立刻恢复了自然，眼中犀利的光转瞬不见，像刀客刻意把刀锋隐下，他们轻轻地拥抱。女人稍稍欠起身，透过陈悟的肩头看我，又冲我挤了一下眼睛。

我的心像被按在了盛满水的瓶底，对这个女人竟然不知如何应对，她看起来高贵美好，可又看起来过于冷静，显得危险。

陈悟一来，整个餐厅似乎就迅速热闹了起来，他像一阵飓风，将刚才的阴暗瞬间一扫而空。店内开始陆续有客人，服务员们也突然精神抖擞起来，陈悟果决地点菜，再凑到女人耳边窃窃私语，女人发出轻笑，再用手抚弄自己的鬓发，以确保它们在应该在的位置。

丁汐禾走进来的时候，我站起来迎接她。她穿了羽绒服，将整个人紧紧包裹，头发高高梳成马尾，看起来素面朝天，一副女大学生的模样。我向她招手示意，直到她确认座位。

她缓缓坐下来，任陈悟介绍了所有人，但他刻意没有讲名字，以确保不穿帮，拍着我的肩膀说我是谁的时候，他说：这是我的死党，嗯，你叫他镇定剂就好了。

然后他指着女人说，这是我的女朋友，林子。

林子伸出手来跟我轻握，好看地笑了一下，又挥手向丁汐禾致意。

我介绍丁汐禾，她冲对面的二人点头，然后说，叫我小柔就好了。她像卸下了所有的负担，执意连名字都更正一下。我再介绍陈悟给丁汐禾认识，又怕名字穿帮，只好说："这就是那个我的……"

"好基友。"丁汐禾接茬儿，大家笑作一团。

她和女人有大概三秒钟的对视，旋即避开眼神。她朴素自然，今天格外好看，可大概整个餐厅和女人都有一股强大的气场，让明亮的她稍显黯淡。

她应该是刻意没有化妆，羽绒服里的白衬衫也非常朴素。我想，昨天我们俩的对话，于她是一种解脱，她终于可以不再顶着奇怪的面具度日，可我似乎依然与她无关，即便她此刻就坐在我身侧。

林子看着桌上的三人，像经验丰富的猎人，气氛有大概超过二十秒的尴尬，直到她主动发问："小柔，你是做什么的？"

我不禁心中一凛，觉得这个问题，平常又略显唐突。

"做编辑。"我抢话说，想起昨晚她的尴尬，还有楼道里回荡的声音。丁汐禾点头说，对。

"哪方面呢？出版还是电视节目？"林子似乎很有兴趣。

"出版。"丁汐禾声音有点低。

"哦，是吗？我很感兴趣呢。"林子眼睛中闪现着亮光，再拿起杯子来喝水。但她接着讲下去，让整个场面变得尴尬，"任谁都可以出书的年代，编辑也变得很奇怪，追腥逐臭的。"

林子说完，自知失言，立刻说："我只是说一下现象，并不是针对你。"她对丁汐禾举起酒杯，她落落大方又锋利，她是咖啡店的店员？我突然觉得这个女人不寻常，当然，或者我犯了经验主义的错误，谁规定了咖啡店的店员就必须寻常？或者对其他行业毫无见地？

"哦，不用介意，我连这种都不如，我们公司，专门负责做旅游类的书，连作者都没有，更谈不上追腥逐臭，所以，说是编辑有点高看我了，我只是码字的工人。"看不出丁汐禾的表情，但显然有点不甘示弱。似乎这一刻开始，两个女人的战鼓已经擂响，我心里暗暗着急，觉得按照林子和丁汐禾的脾性，很可能会闹到无法收场的地步。

"喂，菜上了，大家快吃吧 。"陈悟此时好像突然聪明了一些，插空迅速扭转话题。

餐厅像城市人的客厅，让无处安放心灵的人们暂时喘息，吃饭是个正确的发明，进可攻退可守，实在不行还可以默默吃饭。林子高深莫测，我和陈悟心里有鬼，丁汐禾不明所以，兀自对着自己的餐盘沉默地吞咽。看起来，四个人毫无作为，心里又剑拔弩张般，看谁要刺出第一下，让这个气球漏气。

气球，我想起自己的脑袋，心里不禁一沉，即便如此尴尬的场景，也不知道是否还有机会经历。我抬眼看丁汐禾，她默默地夹起西蓝花，似乎要和它对峙，再一口吞下。

我想，我喜欢她。

有酒杯被叉子轻轻敲响，在整个餐厅里，这像一个提醒，幽暗的灯光瞬间熄灭，再有一束追光，直接打在拉小提琴的人身上。他从门口直接拉着，身后跟着一个穿着婚纱的女孩儿。

"哇，有求婚。"陈悟发出声音，四座的烛台被侍应生们点起，整个餐厅发出暧昧又温暖的烛光。

"女孩子求婚哦。"是那个女孩子，她手里捧着一束玫瑰，脸上带着笑，或许因为羞怯，她嘴角微微颤动，目标男生站起身来，双手垂下，有点不知所措。

显然，这是一个精心设计的，除了男主角以外预谋已久的求婚策划，因为邻桌的人开始随着提琴声有节奏地鼓掌，还有口哨吹响。女孩儿一步步向男生靠近，掌声和口哨声不绝于耳。

"真是冒险啊。"林子低声说。

"我觉得很勇敢啊。"丁汐禾发表不同意见。

"勇敢和愚蠢一线之隔。" 林子更冷静，声音里带着一丝不屑，"男人这种动物，被捕时和动物一样，方法就是逃。"

"算被捕吗？或许是个被推动的决定呢？"丁汐禾回头看过去，声音冷冷的。

女人，真是神奇的动物，她们可以不用对视，即可完成一场战争。男人战斗则必须靠生理上的对抗，连恼怒都要面对面，与此相比，真是耗费体力。

我和陈悟没有插嘴，只好看着剧情发展。男人垂手而战，看样子像伸手迎接她，又像被符咒牵制住了，动弹不得。女人继续向前，再走近一些，距离男人三步的时候，她美美地站定了。

她的妆略浓，眉毛上有一颗明显的痣，看起来俏丽，眼睛笑起来弯弯的，平时里应该很轻松。男人看起来更稚嫩些，戴着金丝边的眼镜，头发三七分开，西装也略显宽大。

"我……"小提琴声应声停下，女孩子要说话了，餐厅里的人们停止鼓噪，静待这一幕的发生。

"我想跟你在一起，庚申，请你接受我。"

空气似乎凝固住，整个餐厅的人都大气不敢出，连侍应生们都停住手中的作业，以保证结果不受任何异常情况的影响。

"结果不妙……"只有林子鼻子里发出巨大的叹息，我都觉得声音过大了，恨不得让她停下别说。

似乎被她言中了，男人对女孩说："你这是干什么？！"或者无法接受这个现状，他气急败坏地转身，抓起身后的大衣，直接向餐厅外走去。

女孩尴尬地停在那里，眼里流出泪水，但失败就在眼前，或者她鼓足的勇气，此刻被男人的落荒而逃全部泄了去，她似乎失去了所有力气，瘫倒在桌边。

从预期看到一个浪漫的成功的求婚现场，到突然遭遇打击般的男主角落荒而逃，整个餐厅的人全都惊愕住，又不知怎么转移刚才还聚焦的注意力，尴尬像海水灌满了整个餐厅。有人开始尽可能寻找新的话题，开始交谈，似乎这一切都没有发生，而女生的哭泣，也只是餐厅中的某个背景。

成熟的人们，目睹别人的尴尬是更大的尴尬吧。

"自取其辱。"林子不客气地说。

"喂。"丁汐禾的声音更冷，她目光如电般地甩向林子，"看别人努力表达真爱很有优越感吗？"

"是啊，真人秀的本质就是如此，敢秀就不要怕别人评论。"林子毫不示弱。

"这算丢人吗？至少做了自己想做的事情。"丁汐禾站起身，走向那个女孩子。

我也只好跟了过去。

陈悟跟林子在说什么。

"认清事实很困难吗？这世界可没工夫陪着蠢货过家家。"林子发出声音，显然对陈悟的制止表达不满。

我看向她的脸，突然觉得她无比熟悉，我终于想起她是谁了。

36.

林子，被陈悟称作林子的女人，就是作家和惠子，那个语言锋利如刀，把爱情看得像生物学一样透彻的女人。

而现在，我无暇顾及她，她为何以咖啡店员的身份出现在陈悟的生活当中，又以此和她开始交往，或者于她，这只是一场游戏？

我和丁汐禾走向那个女孩儿，实话说，我根本不知道如何安慰她。如果不是因为丁汐禾，我想这事情于我也是一桩闹剧，我也会认为这样走过去，有点不假思索和尴尬。

丁汐禾扶起那个女孩儿，说："有什么大不了的？站起来。"她的声音坚定如铁，不容置疑。

女孩儿坐在座位上，抬眼看我们，满脸都是泪水。她还算好看，面目被泪水洗过之后更是如此。我垂手站着，见她看我，也只好用力地点点头，只是用来附和丁汐禾的说法。

"你很棒了，我刚才和朋友争论，我们都没有你勇敢。"丁汐禾像个老朋友似的，递张纸巾给她，接着说，"我有机会，也要学你，求一个，谁说只有男的才敢做这种事啊？"

"不是很丢脸吗？"女孩擦着眼泪，哽咽着问。

"当然不，其实呢……"似乎为了增加说服力，丁汐禾瞪大眼睛，说，"每个人，都不怎么关心其他人，都是暂时的，走出这个餐厅，换掉这身衣服，就没有人认识你了。这么一想，是不是好多了？"

"并没有。"女孩被她一引导，不禁悲从中来，掉下泪来，似乎又被自己这句"并没有"给逗乐了，又发出一声笑，"蠢死了我都。"

丁汐禾也笑出了声。手按住女孩的手，说："好啦，哭一会儿得了，走出餐厅，咱们又是一条好汉。"

女孩看着她，似乎找到了力量，用力地点头。

"其实我知道，他也爱我，只是，他怕耽误我出国，刚才就要跟我分手。这个机会确实很难得，我自己也很想去，但这一去就是四年，我想，四年什么事都会发生，最后想想还是决定放弃了。今天吃饭本来想正式告诉他，他比出国还重要，结果，他跟我说分手吧。"

女孩眼睛含泪，继续往下讲。

"我说我考虑一下，觉得有必要告诉他，什么对我来说同样重要，就出去买了这件婚纱。

"现在看来，我是有点自以为是了。"

　　她含着泪说，像抓住稻草，而我这一根显然并没有任何作用，我看向丁汐禾，有点无言以对，是啊，谁不是这样，自以为是爱着对方呢？那个和她决意分手自认为给她更好未来的家伙，难道不是另一种自以为是吗？

　　可这明明是两个相爱的人啊，我脑子有点混沌，甚至代入某一方都认为，对方的舍得和放弃都有充分的理由。

　　"岂止自以为是，简直愚蠢透顶。"是林子，哦，不，现在应该叫她畅销书作者和惠子在旁边说了话，她甚至冷笑了一下。不知何时，她已经到了桌前，淡定地坐下，和女孩四目相对。

　　"听起来像是多管闲事，可作为女孩，不应该把自己置身险地，这样的画面和结局，都不是一个女人应该承受的。"她清晰地说话，眼睛扫过丁汐禾，又看过我，她当然是过来人，似乎对这些司空见惯。

　　"突然杀出来教训别人，说自己认为对的道理，不是另外一种自以为是吗？"丁汐禾眉头一皱开始回击，"我倒是觉得，做过勇敢的事才知道决定是否正确，这样终于水落石出，他承担不起你的这份自以为是，逃跑了才让你知道什么是正确的选择。"

　　女孩似乎被这段话打动，点头赞同。她显然是需要帮助，这个时候，似乎没有更好的台阶可以下。我在那里无所作为，觉得自己非常失败，内心又明白和惠子和丁汐禾的过招不会就此罢休，没想到，我们最后竟以这样的方式相对。

陈悟束手无策，招手叫我，我却站在那里无法动弹。

"幼稚，女人最终都是依靠自己，任何不完备的心灵都不要奢谈相爱。我是典型的女权主义者，你自己毁掉自己的前途，争取一份只是眼前看起来重要的爱情，这是不是有点太过武断？"和惠子的愤怒突然燃烧起来，或许在她看来，这本可与她无关，但因为丁汐禾的关系，变成了必须完成的课题。

"并不是每个人都需要活成什么样，而且所谓幸福又不是只有一个模式，就是因为一直有这样只靠自己的论调，才导致很多女人形单影只，连最基本的幸福都没法达成，不知道这种成熟算一种什么成熟，作壁上观当然轻松！"丁汐禾毫不示弱。

"连自己独立都做不到……"和惠子发出鄙视的声音。

"林子，你可以了。"陈悟有点愤怒了，或者，他觉得这种说法同时也刺痛了他，一顿本被他设想的欢愉的饭，最终要以闹剧收场，于他自然无法接受。

"我可以了？对方为什么要为你的自以为是埋单？恋爱是场大戏吗？要演要唱？"和惠子回头看着陈悟，声音变得更大，"隐瞒自己的身份，做自己觉得合适的模样，假装不伤害对方的自尊，其实都是一种妄自尊大，是不是，陈悟先生？还有，你真当我是值得你可怜的单身大龄女人吧？所以收起身份穿起别人的衣服自作聪明？"

"你……"陈悟被问得哑口无言。

"你什么？不会买地铁票的过山车管理员？连狗粮都找不到的拉布拉多主人？"

丁汐禾回过味来，怀疑地看着我。闹剧终于次第来了，作为一个被帮助者，女孩显然被现在的状况搞得无法思考。我的头开始剧烈疼痛，每一个在场的我们，都像一张被画过脸的扑克，生硬地竖立在她的周边，棱角锋利，面无表情，充满戏剧感。

"你不也一样吗？畅销书作家和惠子小姐。"丁汐禾声音冰冷地，一字一句地扔了出来。

终于，都到了摊牌的时刻。

我们这奇怪的四个人，终于在这一刻，将秘密倾泻而出。我想起昨天在微波炉里爆掉的鸡蛋，它现在，正炸在这餐厅的上空，四分五裂。

逃走的男人回来，他推了推自己的眼镜，在我们中寻找穿着婚纱的女孩儿。他认真看着她，说："对不起，是我的错，我不提分手了，我可以安心地等你回来。"

他们两个紧紧拥抱，不知道哪里传出第一声掌声，然后，整个餐厅欢呼起来，口哨响起，一个大家期待的结局终于发生了。掌声隔开了他们，留下我们四个。

我们喝掉了杯中的酒，到陈悟埋单，没有再说一句话。

37.

　　"可能要消失一段时间，不用找我，谢谢你这些天的陪伴，请一定要开心。我要去走走看看，在变成那种人类之前，这算是送给自己的礼物。川成。"

　　过完安检，拿着护照离境之前，我给丁汐禾发了如上的短信，怕她回应，迅速关掉手机，到登机口静静等待时，内心一片荒芜，目的地并不重要，更不知道下一步有什么会发生。

　　在此之前，给代币换了粮食，倒了充足的水，留了字条在陈悟的门上，希望他能够照顾它。

　　出关的时候，我回头看了一眼，丁汐禾，再见。

　　我直接去冲绳，这个季节日本最温暖的地方，站在太阳下的礁石上，觉得极不真实，海浪永不止息，大概已这样动作了数万年，人在上边像脆弱的鸡蛋，一打就碎，且年龄在这里不值一提，我想。

　　落地时收到丁汐禾的短信，她要从电话的那端冲出来，她说："浑蛋，有本事永远别回来。"

真像她的样子啊。

在海洋馆的人潮里，记每种鱼的名字，看它们不自知地，以为在幽暗的海底生活，巨大的海龟在竖起的巨型玻璃幕墙内疾驰，真的像飞一样自由。

晚上，住在一间民宿里。老人七十岁了，通过自己的女店员翻译给我说："你一个人吗，孩子？"

我说是。

"你们那里的孩子，好像很喜欢做伴，比较热闹。"她说，声音微微颤抖，"像你这样一个人到这里的可不多啊。"

她煮了乌冬面给我，放了一些葱花，认真地滴上酱油。店员要帮忙，她执意不肯，和服很旧，但很干净，她看着我吃面，眼里全是慈爱。

然后她说："不过，日本的每个年轻人也很孤单。"

"你们有什么话，都会跟家人说吧？"她问我。

"大部分时候不。"我想起妈妈，觉得老太太问得很怪。

"是啊，突然，就长得很大，然后摔门就跑了。"她依然慢条斯理。我没有再接话，眼睛被面的雾气蒸了。回到房间洗漱，热水很烫，算作每日头疼前的安慰奖。头开始疼的时候，很想念丁汐禾，手里攥着那个牛角扣儿，逐渐获得平静。我已慢慢学会和疼痛相处，像知道它的路径和关卡，像过山车必须经过的节奏，我在慢慢学会如何操控它。

　　次日离开，跟奶奶告别，她送我到门外，眼里很殷切。女店员昨晚跟我说："您不要见怪，奶奶喜欢男孩子的，可唯一的孙子去了东京，后来自杀了，所以看到同龄的，就喜欢聊一聊。"

　　她轻描淡写，我内心却像被狠狠揍了一拳。临行的时候，过去跟奶奶用力地拥抱了一下，我说："您要好好的啊，不要担心我。"

　　她点头，像听懂了，阳光里，她的鬓角被风拂动。我故意把背挺直，脚步也坚定，对啊，像个厉害又懂事的孙子一样。

　　我想，旅行不是边走边忘，这些记得都很重要。

　　当天飞到北海道，雪下得极大，打车的时候几乎睁不开眼睛，落在羽绒服上的雪也不化，可以仔细分辨形状，上出租车的时候再掸掉它们，很有成就感。

　　在出租车上，看雪继续往下落，两边是被雪垒起的高墙。司机是花甲的年纪，花白的头发，看起来和善又专注，在下雪的路上，没有丝毫迟疑，像不怕路滑一般。我在后座上颠来倒去，笑出了声，他后来明白了，表达歉意，尽力将车开稳。

　　这里的蟹极大，滋味清甜，在老店里，吃全蟹的料理，包厢的门被一再打开，白发的老人弓着腰走路，一道道上菜，让我觉得不站起来都是失敬。她自得其乐的样子，让我少安毋躁，最后还送了我一个蟹的小玩偶，表达感谢。

　　走出店的时候仍在下雪，像不会停止。

丁汐禾，如果你在，你也会很喜欢，我会背着你在雪里走，可在我们那里，脚下没有这样的声响。我踩着雪慢慢走回酒店，在疼痛来临之前倒在被窝里，我喝了酒，这酒后劲真大，丁汐禾，你肯定连三杯都喝不到。

出走第四天，赖在酒店里不走，看店员怎么迅速收拾房间，怎么一个人把被子弄得格外平整，算是解开自己生活中的一个巨大疑问。她先把床单铺开，再拿一把一米长的尺，用它将表面迅速地舒展，不见昨天的痕迹。

我想起我的那些药丸，它们一定也有这样的工具。

坐电车到小樽，它比我想象中还要小，一个下午就可以走完。老建筑和新房子参差相对，却并不冲突，跟我们那边不一样，整齐划一原来并不好看。运河边上的建筑，像那些做蟹料理的老人一般端庄，依然下雪，水面黑黑的，看不清楚。寿司店在巷子的深处，白色的灯笼上有手写的古体字，看起来是老店的模样，坐下来喝热茶，整理照片，一张张的，希望像自己亲眼所见。

饮酒成为习惯，尤其是日本酒，第一口下去会很轻敌，最后还是被它制服。

第五天，阳光大好，到旭川，地图背得很熟，像曾经来过一般。到旭川动物园看企鹅，它们不怎么动，在冰面上互相依靠，有时候挪动脖子，换个更舒服的姿势，或者突然就冲入水里，再迅速上来，止不住步子，就滑倒在冰面上。

我坐在它们的对面傻笑，这一刻我格外想你。

晚上，在札幌的某处塑料包起的路边摊，吃炭烤的鲷鱼。鱼头巨大，有一点腥。隔壁桌的日本人下班了，穿着西装，正大声地谈笑。店主穿着雪白的厨师服，时而微笑地看着食客，手里没有停下忙碌。

一对小情侣在路边吵架，自我来的时候就开始，到现在鲷鱼头快被我全部吃掉了，依旧没有停止的意思。男孩做了夸张的头发，腿极细瘦，女孩则连丝袜都没有穿，只有短裙和短靴，中间那段被冻得通红。恋爱真是需要体力和耐力，我想。

如果丁汐禾在，一定不会坐视不管。

男孩手足无措，没有办法，低语的时候，显得焦躁且无法安放，小伙子，难道不应该直接把她一把抱过来了事吗？我心里说。

但他显然没有办法，女孩站着，也没有要走的意思。

我起身结账，和店主说，多谢款待。再走出塑料帐篷，脚步跟跄了起来，到他们身边的时候，姿势更夸张些，像要摔倒在女孩身上一般。男孩一把把她揽到怀里，再警惕地看我，我说完抱歉，转身走开，走十步后回头看他们，女孩终于在他怀中哭了。

我恢复如常走路，不再像个醉汉，觉得时间点真是好重要的。

　　想起那首歌，是丁汐禾开车，我们大声地唱过，"what's up"？可丁汐禾，你有没有想到我?

　　似乎听到我内心召唤，短信应声响起，她说："疯够了吗? 疯够了就回来。"

38.

　我没有回她，不是不想，是不知道怎么说。离开旧地方对我是件好事，有时让我觉得是下世为人，忘了自己叫林川成，除了每天准点到达的头疼，我只像一个孤单的、轻快的过路人。

　因为是过路人，就不担心别人对你的背景好奇，你来自哪里，你要去什么地方，反正你只是匆匆游客。

　第六天，终于到达东京，像突然沉入深海，又迷失在鱼群里。我立刻消失在都市的洪流当中，被潮水般涌入和涌出的人群推着前行。其实每个人都是一个人，像北海道奶奶说的那样，日本的年轻人，好孤独啊。

　陈悟每天给我打一个电话，都被我挂掉了，就不再打来。大概挂掉是最好的信号，如果我不接，会被认为死了还是怎样，他有的时候为了表达恼火，就打三个，被我一一挂掉，金牛座耐力极佳，最终他还是拗不过，便不会那么用力地寻找我。

　我想，因为我突然消失而想撕烂我的人，陈悟一定是其中之一。至于丁汐禾，倒是很平静，我之于她，大概就只是个过客。

这样最好，让我负疚感少很多，但在代官山的书店里闲逛，在小的居酒屋里吃炭烧，都会非常想她，只是无处投递。至于代币和陈悟，我只是担心，他们俩会不会因为相处不好而彼此嫌弃，只可惜，代币又不会说话。

怕被人熟悉，我对酒店殷切的问好也做面无表情状，甚至为了更少地交流，要不停更换酒店来减少麻烦，并且不能在同一家咖啡店里待得过久。

这样浑浑噩噩待到第十五天，大概换了七家酒店，又对它们周边的每一条街巷了如指掌。每天醒来，走路，见到喜欢的店就进去看看，到饿了，就随便找一家店解决午餐。头发变得乱糟糟的，就想起丁汐禾给我剪头发的样子，早上对着镜子说，呃，头发再长一点，会被人当成逃犯。

每天的头疼变本加厉，街上圣诞的气氛越来越浓，到十二月二十四日，平安夜，东京下了大雪。

我遏制住兴奋，到街头去，已经是下午五点多，天色渐暗，雪没有停止的意思。城市变得安静，车辆、建筑、流动的人群，像是在做彼此的提醒，说：下雪了，小声一点。

我把帽衫套在头上，任雪飘落在肩头，有时又从路边栏杆上攥个雪球出来，在手里颠来倒去，看它慢慢变小，用来衡量时间，就这样走，像没有尽头。

直到看到一家理发店，突然觉得要把头发剪短，就直接走了进去。店里没有人，看起来也是老铺，二层像是有人居住，是服务街坊的那种，没有怪里怪气的音乐和染成黄色头发的理发师模样的人，反倒让人安心。

一个年轻男人坐在柜台里，看我进来，觉得有些惊讶。他站起身，走出柜台一步之外，又非常恭敬地向我鞠躬道歉，他先用日语，看我完全不懂，便用英文说话，大概意思是，对不起，今天我们无法营业。

我有些好奇，因为店面的旋转灯柱，仍在雪下慢条斯理地旋转。

年轻人胸前别着加藤的名牌，看我不解，就更加着急，似乎怕耽误我的时间，用力跟我解释，几番描述下来，我才听懂，是理发师的妻子病重，刚刚临时被叫到了医院，本来是马上要关门的，对不起。

他再度鞠躬，让我也有些不好意思，我说声打扰了，准备转身出门。门应声开了，风铃发出丁零一声，一位穿黑衬衫的老者走进门来，他满头银发，面色惨白，看起来精神有点不好，似乎刚刚哭过。

我转身出门，走出大概十步远，被加藤叫住，他先向我致歉，再表达老人的意思，承蒙关照，请您回到店里，可以剪发。

"老人如果不方便，就算了，我并不着急。"

店员说，是老人执意如此，请不要见怪。我反正无事可做，便跟店员回到店里。老人已经换上了工作的围裙，深深地向我鞠躬，脸上带着微笑，加藤请我到洗头的地方。

加藤帮我洗头，又用毛巾细心地擦干，站起身去理发座椅的时候，我随口问他："理发师太太怎样了？"

他沉默了一下，说："刚刚去世了。"

我大惊，觉得这样再去理发分外不妥，示意加藤我真的今天可以不理发，请理发师去忙。加藤看着我，说："老人说了，对逝者最大的尊重，是生者仍然保持正常的生活。"

被按在座椅上理发的时候，我仍细细揣摩这句话的意味，心中仍有一百万个不解。老人将我的头发梳起，再认真观察，继而用发夹将其中的一部分夹起，像对待一件精美的瓷器。

透过加藤的翻译，他细细问我的要求，我说自然一些就好。

他点头称是，细心梳理我的头发。

我说："节哀顺变啊先生，实在是不好意思。"

"可能很奇怪吧，我执意回来工作，对我来说，已经陪完她了，希望不会惊扰到客人您，"他停下手里的活儿，认真地看镜中的我，"我有思想准备，而且，我想，太太离去了，有我记得她，她就一直存在着。"

我呆住了。

他黯然地说："直到我离开这个世界为止。"

然后他开始忙自己的，我沉浸在这段话中。

理完发，老人和年轻店员将我送到门口，在雪中久久站着，直到我拐弯走进另一条街，他们终于转身，回店里去了。

身边开始有零星欢庆的人群，有人在街边点燃烟花，新宿更热闹的地方，有更多的人像河的支流奔涌而出，远处有巨大的礼花弹炸开，人群里应声发出哇的惊叹。

这一刻，我格外想家。

到十二点的时候，我决定回去，一小时之后，剧烈的头疼中，我收到了丁汐禾的短信，"平安夜快乐，浑蛋"。

可惜的是，剧烈的头疼让我无法回复，我非常想念她。

39.

出走二十五天之后，我终于回来了。走出机场的瞬间，要适应下干燥的空气。

我到家，环顾四周，把掉落的便笺纸贴好，让它们恢复常态，二十天没人居住，它显得无精打采。我把背包放下，到厕所弄湿毛巾，跪在地上擦干净地面，挂好衣物。

关上门之前，我对着空房间说了一声，再见。

再到陈悟的门口，迟疑是不是要去看代币一眼。它似乎听见了动静，疯狂地冲到门前，发出低吟，又用爪子抓门，显得非常兴奋。

我按开密码锁的时候，代币直接将我扑倒在地。它可能认为兴奋无法表达，只好在我身上跳来跳去，再将后背压住我，见我伸手挠它，又把脸凑过来，它的鼻息湿热，啪啪地打在我的脸上，我双手抱住它的脖子，跟它说："不要闹，不要闹。"

直到它停下，眼睛直直地认真地看着我。

"乖啦，以后要听陈悟的话。"我说。

代币发出呜咽之声，像有无数的话跟我讲，但又无从表达，只好把整个脑袋贴在我的肩上，死死不肯离开。

我站起身，打开门，伸出一只手，声音不容置疑："代币，回去。"

它翻起眼睛看我，直直站定着，最终呜咽着，慢慢走到门内去，然后坐在门厅，静静地看着我。我把门关上，直接跑到楼道里按电梯。

电梯门合上的时候，我听见代币很大的吠声，眼泪开始掉下来，它很少叫，我心里说，代币，我懂你的。

城市没有变化，建筑和街道是当代的山河，只不过，它们都刻意了些，人创造了它们，却最终寄居于此，仔细想来，真是一个无奈的笑话，像蜜蜂被风雨打去，蜂巢却留在那里。

我到赤金广场，站定在发传单的地方。圣诞节的街头热闹异常，稍后，一场盛大的新年游行即将开始，交警在疏通道路，以让这里变成步行的街道。阳光暖暖地晒着，又被玻璃幕墙反射过来打在地面上，呈现出一片金黄。我站在那片光里，觉得温暖又平静，再仰头看向赤金大厦后边的旧楼，丁汐禾应该已经习惯了没有我的日子，在认真工作吧。

到了晚上，她和谁狂欢呢？

下午两点，正式到达八角游乐场的正门，本想去大雄的店里看看，发现那里被整饬一新，变成了一家专门卖毛绒公仔的玩具店，节日气球和彩灯装点满整个门面，孩子们发出刺耳的笑闹声。我转身到售票处买票，心里想，胖胖的大雄去哪里了呢？

那声"哟，过山车先生"明明还回荡在耳边嘛，城市真大，像我和大雄，和威廉这样的关系，竟是一旦失去坐标，我们便彻底失散。

从游乐场大门到过山车，需要三分钟时间。我最终放弃等待，直接到过山车那里去。游乐场被装饰一新，有节日该有的热闹，游客们却还是稀稀拉拉，对于这个大城市来说，这里从来不是唯一的选择。

我站在游客的位置，在早一些的时间，靳山会站在我的面前，对我含混说着"请在线外等候"这样的话。我看向驾驶舱，它的门被关紧，窗户贴了海报，看不到里边的情景。

之前我无数次想象过自己坐过山车的场景，到了真正发生的时候还是会有些不同。我暂时没有害怕，经历过这段时间，我想，大概人生也是如此，并不因为躲避，就会减少经历。

更何况，这确定是第一次，或许也是最后一次。

上一拨客人正发出尖叫，等待的人则幸灾乐祸地笑他们，又不敢过分夸张，其实知道自己也将如此，不可幸免。后边排队的人中有几个男孩结伴而来，其中一个显然不大情愿，但被其他人牢牢锁住手臂，动弹不得，稍后还被押上了过山车，他发出惨叫声，却被朋友们的笑掩盖了去。

铃声响起，过山车终于要开动。我坐在第一排，身下的它发出齿轮交错的声音，人们被绞挂着向前，攥了下扶手之后，我把手掌打开，像被它带着直接驶向天空中去。后排的人倒吸一口冷气，发出轻微尖叫，被强迫来坐的男孩已经放弃了尖叫，只等着向下俯冲的那个瞬间。

我没有畏惧，像提前知道约会的主题一般，只是遗憾，身边的空位提醒我，丁汐禾并没有来。

手机发出一声响，或许是条短信，但我已经来不及看。

过山车到达顶峰的时候，我想起了那首歌，它此刻正在我脑中大力地唱：

Twenty-five years and my life is still

生命已经过了二十五个年头

Trying to get up that great big hill of hope

而我依然向前 奋力爬上那座希望的山巅

For a destination

为了有些意义……

I realized quickly when I knew I should

我迅速又及时地了解到

That the world was made up of this brotherhood of man

这个世界上，人们靠同仇敌忾来互相友爱

For whatever that means

而我一点也不想深究其中含义

And so I cry sometimes When I'm lying in bed

有时候我躺在床上大声哭泣

Just to get it all out What's in my head

这样才能把脑海的想法驱赶出去

And I am,I am feeling a little peculiar

然后我感到一些特别的东西

And so I wake in the morning

我在早上醒来

And I step outside

走出门外

And I take a deep breath and I get real high

我深深呼吸 我变得兴奋起来

And I scream at the top of my lungs

所以我发自肺腑地呼喊

What's going on?

这个世界怎么了?

And I say, hey hey hey hey

我说嘿，嘿……嘿……嘿……

I said hey, what's going on?

我会说，这个世界他妈的怎么了。

我跟着大力地唱，路途从不可逆转。

40.【尾声】

我是丁汐禾，以上文字内容根据林川成的录音整理完成。

此刻的他，正在休息静养，暂时无法和大家见面。

他在过山车停止的时候被发现，人已彻底昏迷，那天是圣诞节，他的手机里只有我的电话。

我匆匆赶去的时候，他像睡着了一样。我没有哭，只是生气，希望他快点醒过来，让我大骂一顿。

我自私、骄纵、刻意与人和世界保持距离，没想到最后却受他控制。他不知道我在寻找他、等待他回音的日子里，经历着怎样的煎熬。

我现在在医院陪他，已经是第四十天。他保持每天二十三个小时以上的昏睡，醒来的时间，只是上厕所和吃饭，然后再回到床上睡觉。草真医生说，这对他恢复有好处。

我攒着一腔怒火等他真正醒来，顺带把这些他拉拉杂杂每天录下的声音，结集成以上文字。

好消息是，他记得我的名字，还认得梅子糖，以及那只牛角扣。

不过，他不记得我们之间发生了什么。

草真医生的解释是，如果足够激烈的话，大脑的记忆有一小部分会留在心脏的部分，这就是为什么接受心脏移植的患者，有部分人格会和捐赠者相似。当然，他仍保持谨慎，他说，毕竟我们对心脏和大脑都知之甚少。

其实，我对自己也知之甚少，我拿到他的手机的时候，删掉了我发给他的那条短信。

那条短信说："圣诞快乐，我很想你。"

他这么自以为是，根本没必要知道。

何况，林先生，在变成那种人类之前，我们又要开始重新约会。

2015年5月于北京。

/ 后边想说的话 /

我曾无数次设想过写完时的感受，想着或许会痛哭一场，或者用其他方式奖励自己一下，其实我当晚喝了红酒，晕晕的，敲下最后一个回车键的时候，我确实有种如释重负的感觉，但忧伤更多一些，因为这个故事，就此终结。

一想起这种长时间的思考、纠结、下笔，再和他们一一告别，将是我未来后半生的生活，就有灰暗的感觉。这种暗下决心，是我在这个写作过程中逐渐明了的事，当然，我记得这工作带给我的快乐和幸福感，不止一次，我和人吃完饭匆匆回家，迫不及待地冲到书房，像有重要的约会。

说酸一点，像是人物在等我，这真是一场难以忘怀的约会。

整个创作过程中，我喝掉了大概十瓶红酒，右手光荣地得了腱鞘炎，现在打字依旧隐隐作痛。这个故事也让我崩溃，在无数个难以继续的日子里，像地下施工碰上了大石头，我堵在那里，无法站立，又无法坐下，如鲠在喉，拼命抽烟等待众神光临的时刻，觉得电脑像个巨大的随时可以将我吞没的黑洞。我无数次质疑自己，推翻自己，认定自己毫无才华，有时候又突然奋起，觉得自己无懈可击，这无异于一场伟大的精神分裂，在无数次和自己对骂厮打之后，终于，它到了终结的时间。

写这本小说，是我对书坛扔的一块石头。它正在让人厌倦，所以我选择用长篇来惊动它，我比别人更有资本冒险，所以我愿意当这第一个，从更宏大的角度看，这件事儿的意义早已经超过了出版本身。我相信，故事会越来越受读者的欢迎，温暖的短篇在微信公众号或者微博上都可以轻易获得，长的故事则需要读者们更强的代入感和耐心，想着若有一天它电影化，我就更愿意为主人公做得更多些。时代在往前走，我来选择我的路，哪怕是过山车般的体验也罢。未来，我依然坚持写故事，并希望借此探讨我们关心的爱与被爱，恐怖的体验和人生必须面对的瞬间，以及在某种设定下，某个微小人物的奋力向前。

当然于你，这可能就是个荒谬离奇的故事，但愿我为此付出的几个月，能带给你一种全新的观感和体验。

感谢被我折磨的丁丁张工作室团队，张雷、Nono、李慧和晓强，照顾我衣食住行，唯有他们，慈母一般……啰唆。

感谢我的图书经纪人北宜和出品人沈浩波，感谢磨铁图书的魏玲总，以及她带领的薇薇、顾夏，他们给了我足够的耐心和好脾气，等待我出活儿的日子里，他们一言不发。

感谢青春光线的孩子们：乐乐、倩文、大晨儿、梦然、亚晶、小井、小之、素素、莫莫，他们被我困在沙发上聊故事，做第一只体验的小白鼠，重点是长年累月被逼着花式夸我，还不能重样，在我错乱疯狂写作的日子里，你们受苦了。

感谢我的摄影师编号223，他带给我一个全新视角，感谢设计师山川，对图片有贡献的曾亚雄，选择相信共同的品位，又在纠结里彼此让步和求同存异，必须有巨大的惺惺相惜做背景，不然无法坚持。

感谢我的封面模特邓皓允、造型师朱子曰，感谢协助拍摄视频的bingo，在日本取景的Anthsly，是你们让这本书更具想象空间，我喜欢目光明亮的人，以及他们对生命的看法，甚至让我觉得，林川成确有其人。

感谢胡缠、施淼宁，我们在纠结"what's up"这首歌的翻译，以让它释放其中意味。

感谢苹果公司的Carol和她们送来的new macbook，还有它的iCloud以及备忘录，这是一本在备忘录里完成全部写作的小说。

感谢以肖恩为首的好朋友们，谢谢你们忍受我闭关期对你们的拒绝和冷漠，希望你们也借此知道我有多么珍贵。

每完成一本书，都像终于到达了一个地方，谢谢所有的陪伴。

特别鸣谢，白百何，声如夏花。